selbst ist der Mann

Praktisches für Balkon und Terrasse

Das Heimwerkerbuch mit vielen farbigen Abbildungen

MOEWIG

Verlagsunion Erich Pabel-Arthur Moewig KG, Rastatt

Sämtliche Anleitungen und Abbildungen stammen, sofern nicht anders angegeben, aus dem Redaktionsarchiv der Zeitschrift „Selbst ist der Mann“, Köln. Alle Angaben zu Material, Anwendung und Verarbeitung wurden sorgfältig geprüft. Dennoch muß im Einzelfall entschieden werden, ob die Bauvorschläge für den konkreten Verwendungszweck geeignet sind. Der Verlag kann eine Haftung für Personen-, Sach- oder Vermögensschäden, die sich aufgrund von Arbeiten gemäß den in diesem Band gesammelten Anleitungen ergeben, nicht übernehmen.
Nachweis der Urheberrechte: S. 13-20: Tesa/Caparol-Farben/Metabo/ Lux-Werkzeuge; S. 21-26: Lugato/Caparol-Farben/Lux-Werkzeuge; S. 31-34, 53-58: Studio CASA; S. 35-38: Tesa/Glasurit/Lux-Werkzeuge; S. 39-42: Tesa/ Metabo/Lux-Werkzeuge; S. 47-52: Caparol-Farben/Metabo; S. 81-94: Caparol-Farben/AEG-Elektrowerkzeuge/UHU/Hornitex; S. 87-90: Tesa/Glasurit/Metabo.

4. Auflage

Originalausgabe

Redaktion: Gerrit Wöckener
Umschlagentwurf und -gestaltung: Werbeagentur Zeuner, Ettlingen
Umschlagfotos: Studio CASA (Vorderseite), Redaktionsarchiv „Selbst ist der Mann“ (Rückseite)
Auslieferung in Österreich:
Pressegroßvertrieb Salzburg Gesellschaft m. b. H., Niederalm 300, A-5081 Anif
Printed in Germany 1991
Druck und Bindung: Mohndruck Graphische Betriebe GmbH, Gütersloh
ISBN 3-8118-8342-9

Inhalt

Gartenmöbel mit System

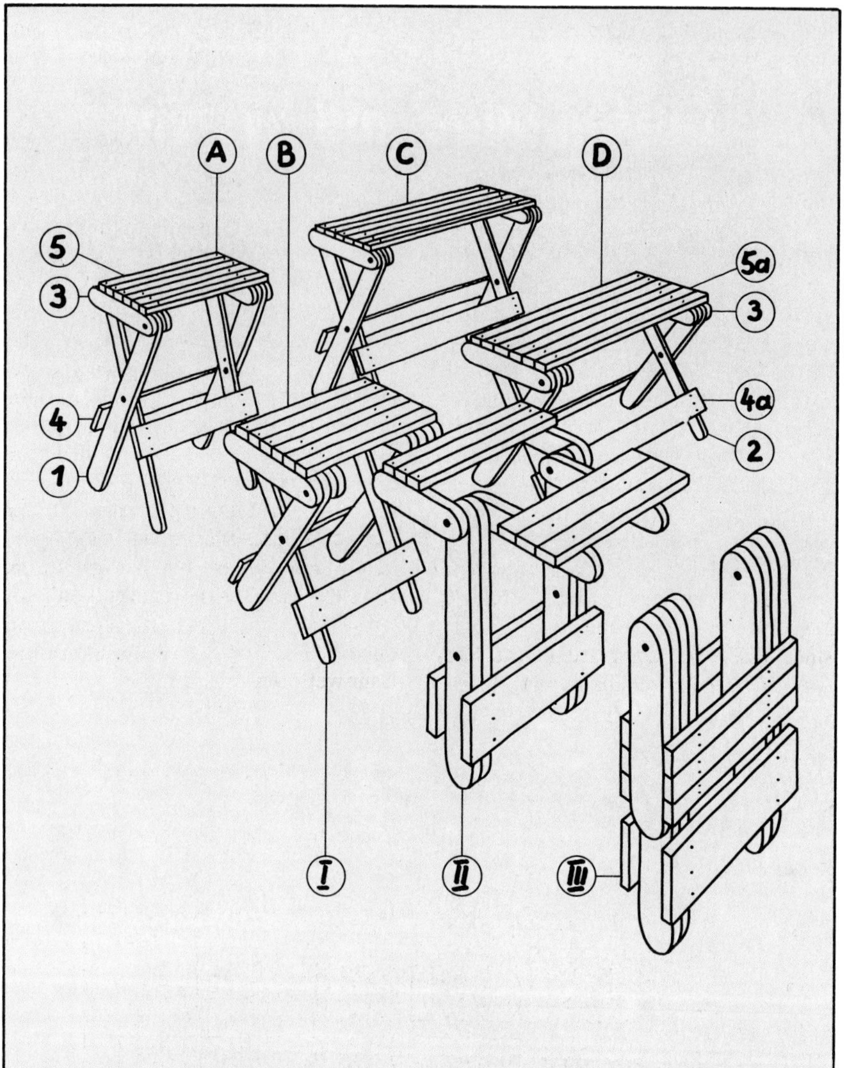

Die möglichen Variationen unserer Klappmöbel: Bierfaßträger (A), Hokker (B), Anrichte (C) oder Sitzbank (D). Die Breite der Auflagefläche ist bei allen Möbeln gleich, die Länge beträgt 40 oder 80 Zentimeter.

Es ist nicht gut, daß der Mensch allein sei – so steht es geschrieben. Also lädt man sich gerne und oft Gäste ein, besonders in der etwas wärmeren Jahreszeit. Doch wer bei schönem Wetter nicht unbedingt in geschlossenen Räumen feiern möchte, sollte seinem Besucher zumindest einen Sitzplatz anbieten können. Bei unseren selbstgebauten Gartenmöbeln haben Sie außerdem nicht nur den Platz für ein Fäßchen Bier dazu, sondern auch noch gleich das Geld dafür eingespart.

Von großem Vorteil ist es, wenn Tische, Bänke und anderes Mobiliar sich bei Nichtgebrauch raumsparend zusammenklappen und verstauen lassen. Zudem sind all diese Klappmöbel so einfach konstruiert, daß selbst weniger erfahrene Heimwerker beim Bau auf keinerlei Probleme stoßen sollten. Fünf Varianten bieten wir Ihnen an, alle auf demselben Grundprinzip aufgebaut. Zwei Beinscheren sind durch Querriegel verbunden, die gleichzeitig beim Zusammenklappen als Anschläge dienen. Die Auflageplatten sind geteilt, liegen aber immer so fest auf, daß auch ein etwas ausgelassener Gast es wohl kaum schafft, etwa den Tisch aus Versehen einzuklappen. Erst wenn die Beinscheren ganz zusammengeschoben sind, lassen sich die Plattenhälften aus der Waagerechten abklappen. Durch die Teilung der Platten in der Mitte sind zudem komplizierte Halte- oder Verankerungskonstruktionen wie Haken oder Schieber überflüssig; die Hälften liegen genau auf den Trägern der jeweils anderen Plattenhälfte auf und geben sich so gegenseitig Halt.

Auch die Konstruktion der Klappscharniere ist denkbar einfach. Die Außenseiten der Beinteile oder Sitzträger werden mit einem 20-mm-Forstnerbohrer einen Zentimeter tief angebohrt (bei den oberen Scharnieren genau in der Mitte der Rundungen, bei den Beinkreuzen in der Brettmitte). Der Rest der Brettstärke wird mit 8 Millimeter Durchmesser ganz durchbohrt. Schloßschrauben M 8 mit Unterlegscheiben und Muttern verbinden die Teile. Nachdem Sie die Quer- und Auflagebretter mit Leim und Senkkopfschrauben befestigt haben, sollten Sie Ihre neuen Gartenmöbel noch mit Farbe oder Außenlasur wetterfest machen.

Materialliste

Pos.	Anz.	Bezeichnung	Maße in mm	Material
1	4	Stollen A + C	690 × 60	Tanne 20 mm dick
2	4	Stollen B + D	540 × 60	
3	4	Sitzträger (alle)	360 × 60	
4	2	Riegel A + B	400 × 120	
4a	2	Riegel C + D	800 × 120	
5	6	Sitz (Platte) A + B	400 × 50	
5a	6	Sitz (Platte) C + D	800 × 50	

6 Schloßschrauben M8 × 30; 18 U-Scheiben 20/10 × 1,5; 6 Stopp-Muttern M8; Senkkopfschrauben 5,0 × 50; Leim; Farbe oder Lasur (Kleinmaterial bei allen Ausführungen gleich).

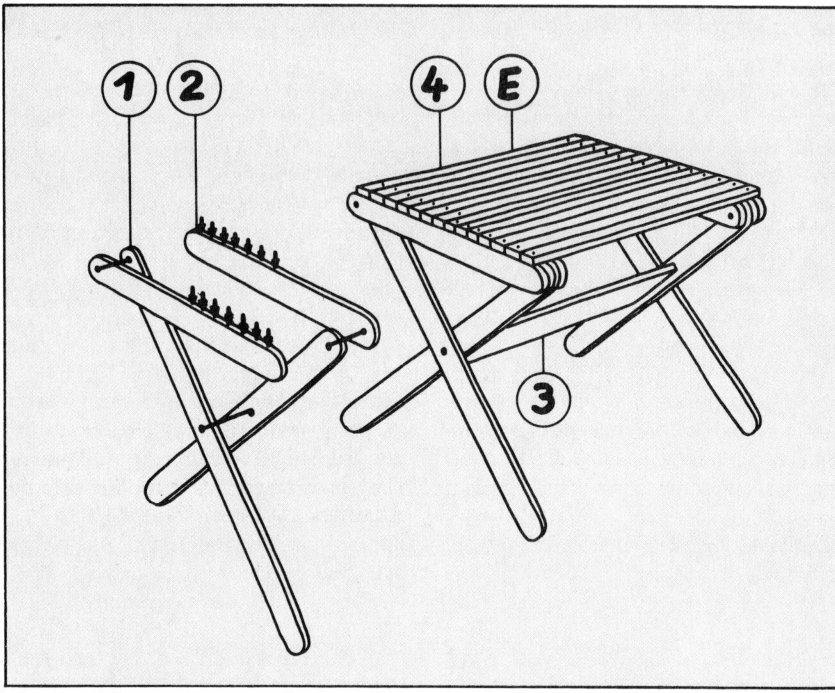

Für den Klapptisch wurde das Bauschema leicht abgewandelt: Statt der jeweils zwei Querverbinder bei den übrigen Möbeln kommt der Tisch mit einem (3) aus. Das beeinträchtigt die Stabilität nicht, sorgt aber für deutlich mehr Beinfreiheit, was beim Essen natürlich angenehmer ist, als wenn man nicht weiß, wohin mit den Beinen.

Materialliste

Pos.	Anz.	Bezeichnung	Maße in mm	Material
1	4	Stollen	1010 × 60	
2	4	Riegel	760 × 60	Tanne
3	1	Verbinder	750 × 200	20 mm dick
4	14	Tischplatte	900 × 50	

4 Schloßschrauben M8 × 30; 18 U-Scheiben 20/10 × 1,5; 6 Stopp-Muttern M8; 2 Sechskant-Holzschrauben 8 × 100; Senkkopfschrauben 5,0 × 50; Leim; Farbe oder Lasur.

Mit einer Schablone überträgt man die Rundungen auf die maßgerecht zugeschnittenen Tannenbretter.

Anschließend sägt man die Bretter mit der Stichsäge sorgfältig aus und schleift die Rundungen mit dem Bohrmaschinenvorsatz oder in Handarbeit.

Zum Versenken der Schraubenköpfe und Muttern die Außenseiten je einen Zentimeter tief anbohren.

Die oberen Kanten der Auflagebretter mit dem Hobel brechen und mit Schleifpapier glätten.

Jedes dieser Möbel besteht aus vier Bauteilen. Hier muß nur noch die zweigeteilte „Platte" montiert werden.

An diesem Stück ist die versetzte Verschraubung der Auflage sehr gut zu erkennen.

Und hier nun der Tisch, der mit nur einem Querverbinder für größere Beinfreiheit seiner Benutzer sorgt.

Der Sessel für die Terrasse

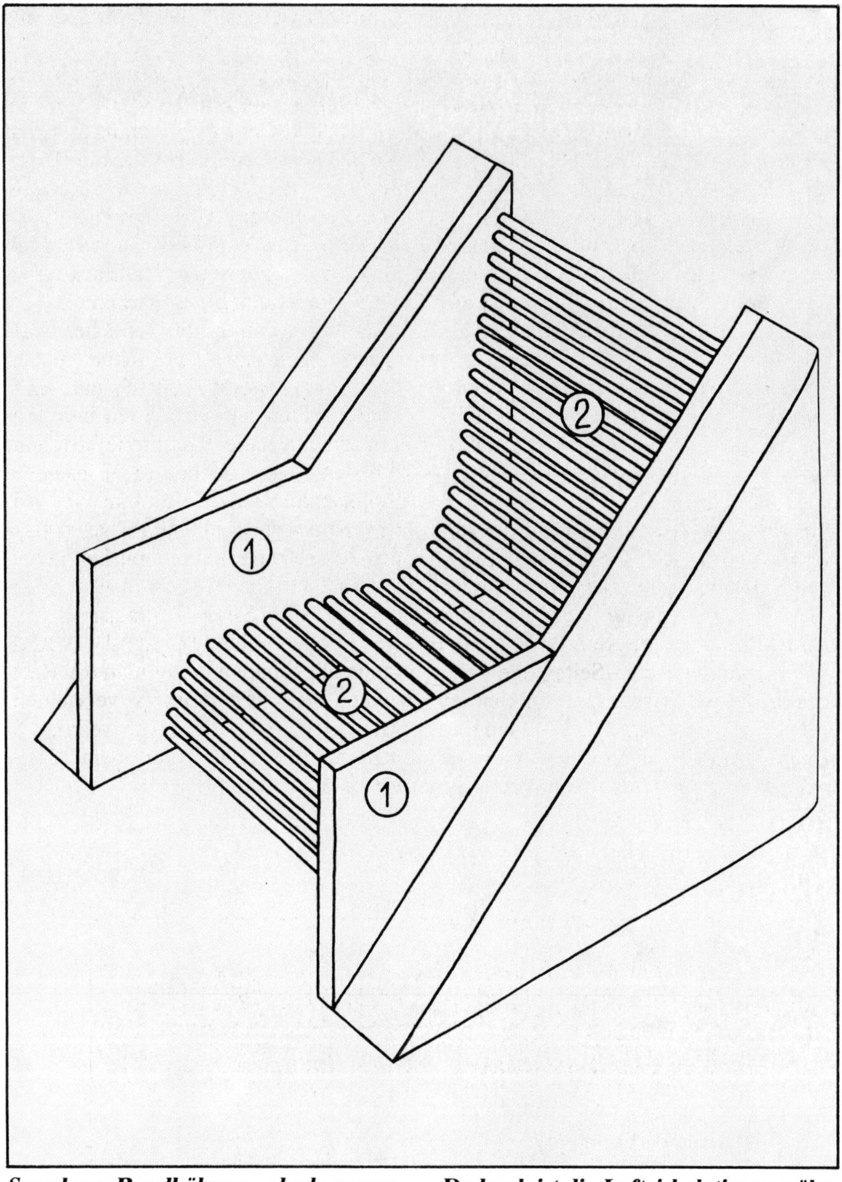

Sessel aus Rundhölzern – dank wasserfester Materialien kann er das ganze Jahr über draußen bleiben. Um ein Faulen von unten zu verhindern, sollte man – und das gilt für alle der hier vorgestellten Terrassenmöbel – Möbelgleiter unter die Standflächen schlagen. Dadurch ist die Luftzirkulation gewährleistet, und das Material kann, sollte es einmal feucht werden, ohne weiteres wieder trocknen. Die beiden Schaumkeile der Seitenwände werden mit großformatigen Steinzeugfliesen beklebt.

Klar in der Form und interessant im Design, kühl in der Farbgebung, ungewöhnlich im Material, dabei unglaublich bequem und leicht nachzubauen. All diesen Anforderungen sollten sie gerecht werden, die extravaganten Gartenmöbel. Keine leichte Aufgabe, die sich unser Designer da gestellt hatte – aber er hat sie mit Bravour gemeistert, wie wir meinen. Doch urteilen Sie selbst.

„Leicht und luftig" heißt die Devise nicht nur in puncto Sommerkleidung – so wünscht man sich auch seine Terrassenmöbel, denn nichts ist unangenehmer, als förmlich darauf „festzukleben". Der Sessel aus Rundhölzern ist da eine gute Lösung.

Man muß übrigens kein Fakir sein, um sich darin wohl zu fühlen: Die anatomische Formgebung des Sessels macht ihn ausgesprochen bequem. Und der Nachbau ist nicht allzu schwierig.

Zuerst werden die Seitenteile aus 20 mm dickem, wasserfest verleimtem Sperrholz zugeschnitten. Auf den Innenseiten müssen dann die 14 mm tiefen Sacklöcher für die Rundhölzer eingebracht werden. Die Sitzstäbe aus 20-mm-Buchenrundholz längt man in der Gehrungslade rechtwinklig ab.

Vor dem Einbau lackieren; dabei die Enden abkleben. Alle Rundhölzer und die Seitenteile mit Ausnahme der Leimflächen mit Holzgrund vorbehandeln. Die Rundhölzer dann in Dreiergruppen im Farbverlauf von Hell- nach Dunkelblau mit glänzendem Hauslack streichen, die Seitenteile unifarben.

Dann schneiden Sie die seitlichen Aufdoppelungen aus 8 cm dickem, extrudiertem Polystyrol-Hartschaum aus. Dabei sollten Sie die Platten beim Sägen zwischen die Seitenteile spannen. Für den Zusammenbau der Einzelteile lösungsmittelfreien Holzleim verwenden. Seitenteile und Rundhölzer zusätzlich mit selbstversenkenden Schrauben verbinden. Die Seitenteil-Aufdoppelungen kleben Sie mit lösungsmittelfreiem Kontaktleim auf. Hat die Verleimung abgebunden, kann man die Hartschaumteile mit Fliesen verkleiden. Zum Kleben und Verfugen zweikomponentigen Kraftkleber mit dem Zahnspachtel aufziehen.

Materialliste

Pos.	Anz.	Bezeichnung	Maße in mm	Material
1	2	Seitenwände	800 × 800*)	Sperrholz 20 mm
2	35	Rundstäbe	580 lang	Buche ∅ 20 mm

2 Platten Hartschaum, 80 mm dick, 1250 × 600 mm; 70 SPAX-Schrauben 5,0 × 60; 4 Möbelgleiter, ∅ 20 mm; 40 Fliesen 20 × 20 cm; Holzleim und Kontaktleim; Kraftkleber; Holzgrund und Hauslack; tesa-krepp.

*) aus einer Platte 1250 × 850 mm.

Zunächst werden die Seitenteile aus wasserfest verleimtem Sperrholz zugeschnitten, dann folgt das Anbringen der Bohrungen für die Rundstäbe, die in der Gehrungslade genau rechtwinklig auf die passende Länge abgeschnitten werden.

Beim Zuschnitt der Hartschaumplatten dienen die aufgespannten Seitenteile als Sägelehre. Vor dem Montieren werden die Rundhölzer und die Seiten (innen) erst mit Holzgrund vorgestrichen und dann mit Acryllack behandelt.

Zusätzliche Stabilität erhält der Sessel durch selbstschneidende Schrauben, die man in die Rundholzenden einzieht.

Zum Schluß kommen die „Fliesenleger" an die Reihe, das heißt, die Hartschaumplatten werden mit großformatigen Steinzeugfliesen beklebt: Man zieht mit dem Zahnspachtel Kraftkleber auf und drückt die Fliesen in das frische Kleberbett.

Der Stuhl für die Terrasse

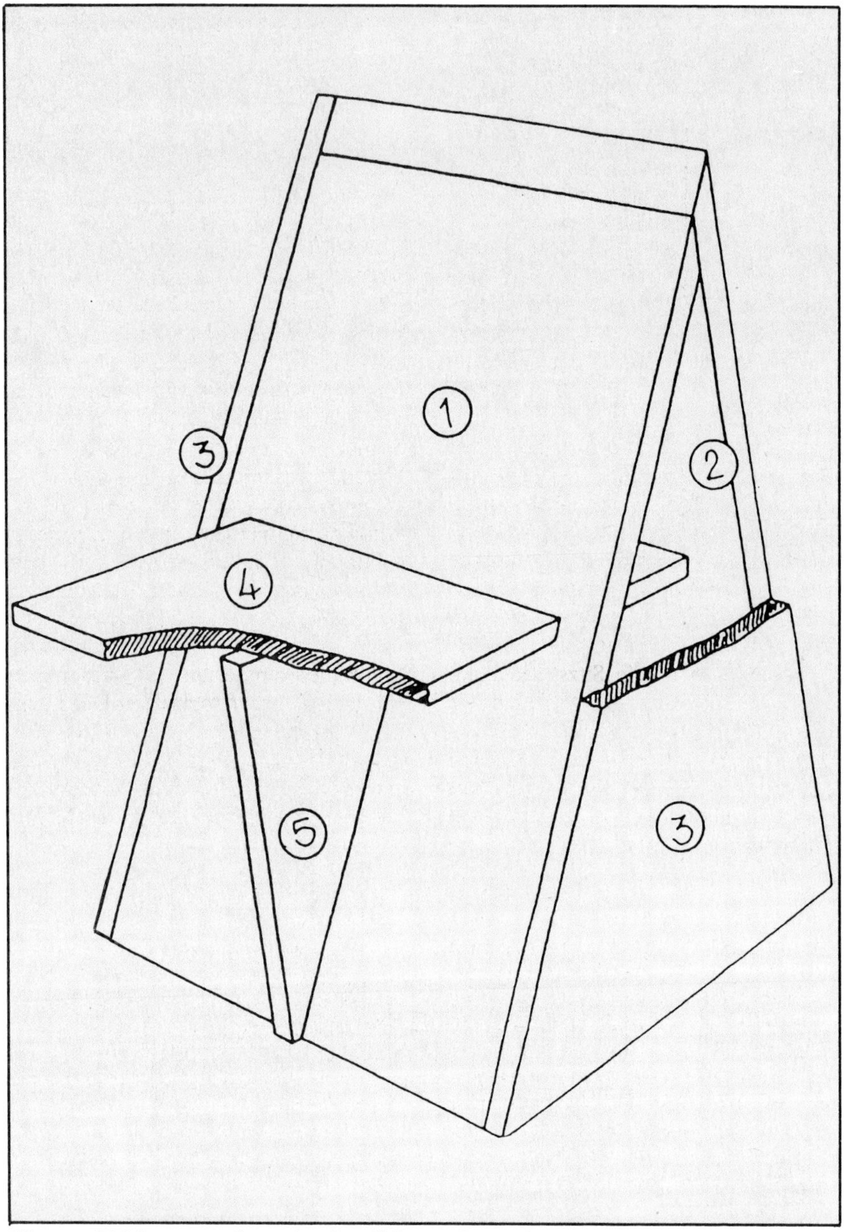

Unsere Zeichnung zeigt sehr deutlich das Konstruktionsprinzip des Terrassenstuhls. Die Holzverbindungen werden stumpf verleimt (wasserfesten Leim verwenden) und verschraubt. Die Sitzplatte (4) wird von der Stütze (5) getragen und erhält ihre Stabilität außerdem dadurch, daß sie durch die Schräge (1) in den Korpus geschoben wurde.

Kühl, sachlich, funktionell – ein Möbel für Puristen. Und durch die sehr klare Linienführung für den Heimwerker auch einfach zu realisieren. Der Korpus des Terrassenstuhls besteht aus 20 mm dicken, wasserfest verleimten Sperrholzteilen, die laut Zeichnung mit der Handkreissäge zugeschnitten werden. Frontplatte und Rückwand an der Oberkante – entsprechend dem spitzen Winkel der Seitenteile – auf Gehrung schneiden. Auch den Schlitz zum Einschieben des Sitzbrettes führt man schräg aus (Stichsäge), damit das Sitzbrett hier eine waagerechte Auflage finden kann. Zum Einführen des Sägeblattes entsprechend dem Schnittwinkel eine 8-mm-Bohrung einbringen.

Sind alle Teile zugeschnitten und die Schnittkanten durch leichtes Überschleifen gebrochen, können Sie den Korpus zusammenbauen. Zur leichteren Montage wird die Sitzstütze befestigt, bevor man Front- und Seitenteile verschraubt. Front und Rückenteil zwischen die Seitenteile setzen, verleimen und mit 60 mm langen selbstschneidenden Schrauben fixieren. Dabei die Schraubenköpfe versenken, damit sie später beim Fliesenkleben nicht stören und sich bei den zu lackierenden Flächen sauber überspachteln lassen.

Die Stuhlmaße sind auf ein Fliesenformat von 10 x 10 cm abgestimmt, so daß außer im Bereich der Sitzstütze keine Zuschnitte notwendig sind. Damit der Sitz auch bei schlechtem Wetter draußen bleiben kann, wählten wir frostfeste mattglasierte Steinzeugfliesen, die wir in frostbeständigem wasserdichtem Kraftkleber verlegten. So werden Front und Rückseite gefliest, die Zuschnitte beiderseits der Stützplatte paßt man zum Schluß ein. Während der Kleber abbindet, können Sie die nicht gefliesten Flächen mit Holzgrund vorbereiten. Dabei die Fliesen abkleben. Ist die Grundierung trocken, werden die Fliesen mit Kraftkleber verfugt. Die Fliesenfläche restlos säubern, bevor der Kleber abbindet – eine spätere Reinigung ist nicht mehr möglich! Zum Schluß die grundierten Holzflächen mit Hauslack glänzend lackieren. Der Lack sollte vor dem ersten Benutzen zwei Tage durchhärten. Zum Schutz der auf dem Boden aufliegenden Holzkanten vier Möbelgleiter ins Holz einschlagen.

Materialliste

Pos.	Anz.	Bezeichnung	Maße in mm	Material
1	1	Schräge	930 × 500	wasserfest verleimtes Sperrholz 20 mm dick
2	1	Rückwand	800 × 500	
3	2	Seitendreiecke	800 × 475	
4	1	Sitzplatte	500 × 300	
5	1	Stützplatte	476 × 260	

25 SPAX-Schrauben 5,0 × 60; „Shadow"-Fliesen 10 × 10 cm; 5 × Verlauf Nr. 528 und 4 × Farbe rosé (V&B); Kraftkleber; Holzleim; Holzgrund; Lack; tesa-krepp.

Nachdem die Korpusteile mit der Handkreissäge zugeschnitten worden sind, beginnt der Zusammenbau. Zunächst verschraubt man (unter Leimzugabe) Sitzstütze und Frontplatte, dann . . .

. . . werden die Seitenteile stumpf miteinander verschraubt und verleimt.

In das mit dem Zahnspachtel aufgezogene Kleberbett werden die Fliesen von den Rändern zur Mitte hin eingebettet.

Wenn die Grundierung gut durchgetrocknet ist, lackiert man die nicht gefliesten Holzflächen mit Acryllack.

Der Grilltisch für die Terrasse

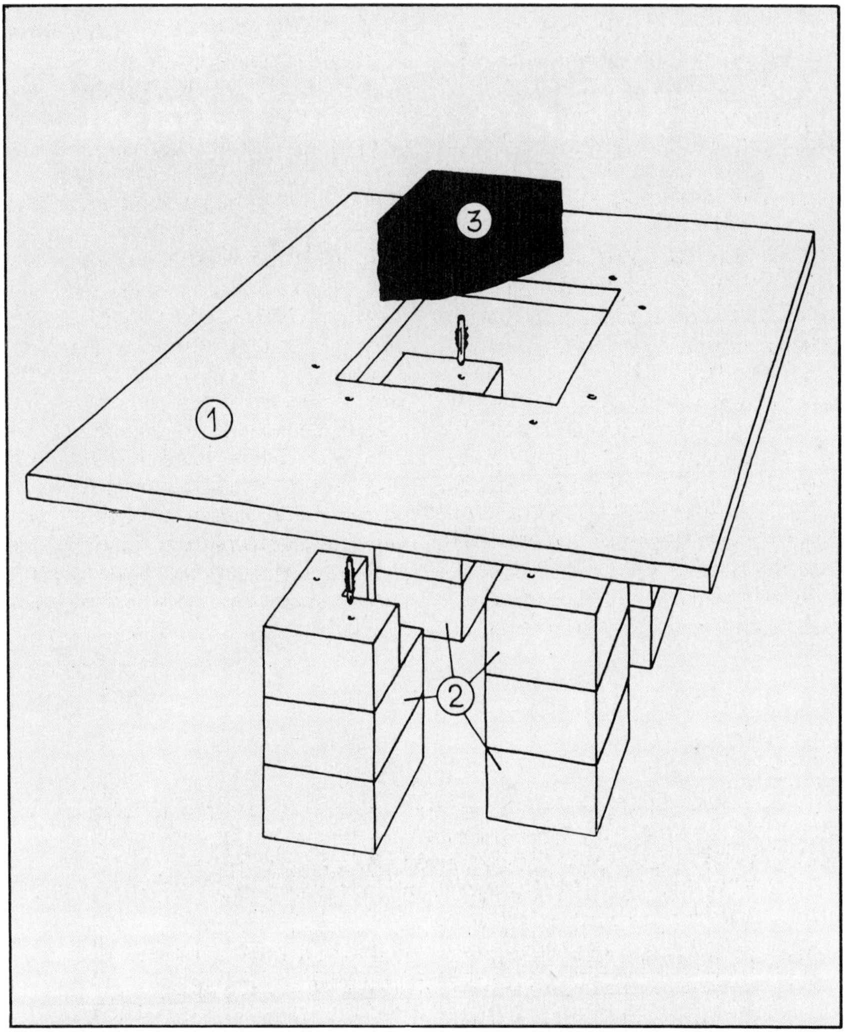

Der massive Tisch besteht aus einem Untergestell aus Gasbetonsteinen, gewissermaßen vier Steinsäulen, und einer Platte, die mit Mittelmosaik-Fliesen (50 x 50 mm) pflegeleicht und wetterfest gemacht wurde. In die Mitte haben wir einen Grilleinsatz aus Stahlblech gehängt, der einen auf Maß zugeschnittenen Backofenrost als Grillfläche erhält.

Er macht das Trio erst komplett, der heiße Begleiter für coole Feten. Den Grilleinsatz des wetterfesten Partymöbels ersetzen Sie, falls Sie kühle Drinks servieren möchten, einfach durch eine passende Wanne mit Eiswasser.

Unser Kombitisch findet auf vier Gasbetonsäulen Halt. Diese bekommen an den oberen Innenecken Aussparungen.

So entstehen die Auflagen für den Grilleinsatz. Die Gasbeton-Plansteine schneiden Sie am besten mit dem Pendelhub-Fuchsschwanz zu. Für eine feste Verbindung der Steine miteinander wie auch mit dem Untergrund sorgt Sicherheitskleber unter Beigabe von Kunststoffdispersion. So werden auch die grauen Belcanto-Fliesen angesetzt. Die Innenflächen der Säulen müssen Sie erst mit lösungsmittelfreiem Tiefgrund vorbehandeln, dann mit groberem Landhausputz abziehen. Die Tischplatte schneidet man aus 25 mm dicker, grundierfolienbeschichteter Spanplatte zu. Der quadratische Ausschnitt für den Grillkasten in der Tischmitte sollte, damit man den Einsatz leicht herausnehmen kann, ringsum 15 mm größer sein als dieser selbst. So wird ein direkter Kontakt zwischen Tisch und heißem Blech vermieden. Die auf der Unterseite weiß lackierte Platte anschließend mit Gasbetondübeln auf den Sockeln befestigen. Pro Sockel zwei Dübel setzen. Die Platte mit Senkkopfschrauben befestigen. Dann wird gefliest; den äußeren Abschluß bilden Anleimer aus Holz oder Kunststoff oder keramische Leisten.

Der Grillkasten entsteht aus 1 mm dikkem geglühtem Eisenblech, das man mit der Blechschere oder Stichsäge problemlos selbst zuschneiden kann. Wer es ganz perfekt machen will, läßt sich vor dem Biegen vom Klempner die Oberkanten der Kastenwände umbördeln oder rollen, das stabilisiert noch zusätzlich. Zur besseren Luftzirkulation ist der Grillkasten an allen vier Seiten mittig mit Lochrosetten versehen. Als Grillrost dient ein ganz gewöhnlicher, zurechtgestutzter Backofenrost aus Edelstahl.

Materialliste

Pos.	Anz.	Bezeichnung	Maße in mm	Material
1	1	Tischplatte	1500 × 1500	Spanplatte 25 mm
2	4	Säulenfüße	300 × 300 × 720*)	Gasbeton
3	1	Grilleinsatz	1000 × 1000	geglühtes Stahlblech, 1 mm dick

8 Fischer-Gasbetondübel GB 10; 8 Sicherheitsschrauben 7,0 × 105 mm; 80 Fliesen „Astar", 15 × 15 cm, Farbe R 419 (V&B); 2,5 m² Mittelmosaik, 5 × 5 cm, Farbe A 241 (V&B); ca. 6,2 lfd. m Platteneinfassung, PVC weiß, 30 mm breit; 20 Blindnieten; 1 Grillrost (Backofenzubehör); 1 Liter Tiefgrund; 1 Eimer Landhausputz; 4 kg Kraftkleber, grau; 1 Kanister „Gute Mischung"; 1 Sack Sicherheitskleber; Power-Kontaktkleber.

*) aus entsprechend zugeschnittenen Blöcken herstellen.

Nachdem wir die Gasbeton-Plansteine mit dem Pendelhub-Fuchsschwanz genau zugeschnitten hatten, wurden die Außenseiten der Tischsäulen mit Fliesen beklebt. Allerdings mußten die Flächen erst noch mit Tiefgrund behandelt werden.

An den Innenflächen der Säulen haben wir auf Fliesen verzichtet und statt dessen groben Landhausputz verwendet, der von unten nach oben aufgezogen wurde.

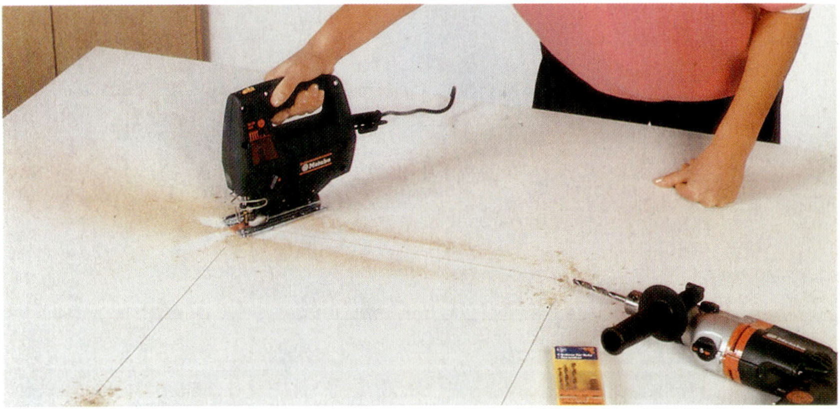

Bohrungen in den vier Ecken des Tischausschnitts für den Grilleinsatz erleichtern das winkelgerechte Arbeiten mit der Stichsäge. Die Öffnung für den Einsatz eher großzügig bemessen, dann bleibt neben dem Stahlblech und den Plattenkanten genügend Luft.

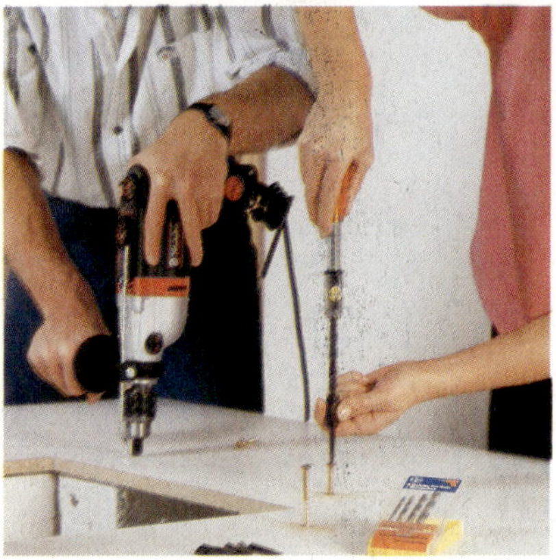

Bevor wir die Platte montieren, wird ihre Unterseite mit weißem Acryllack gut deckend gestrichen. Dann setzen wir pro Säule zwei Löcher (10 mm) für die Gasbetondübel.

Damit die Schraubenköpfe nicht beim Verfliesen stören, müssen sie gut versenkt werden.

Jetzt werden die Fliesen auf die Tischplatte aufgebracht: Mit dem Zahnspachtel Kraftkleber auf die angedübelte Tischplatte aufbringen und die 5 × 5-cm-Mittelmosaik-Matten einbetten. Die Fläche wird auch mit dem Kraftkleber verfugt, um so eine durchgehend wasserdichte, pflegeleichte Oberfläche zu erhalten.

Die Außenkanten werden mit 30 mm breiten PVC-Platteneinfassungen beklebt, die Innenkanten spachtelt man mit Kraftkleber ab.

Nachdem das Eisenblech mit Stichsäge oder Blechschere zugeschnitten wurde, müssen die Kanten rechtwinklig abgesetzt werden. Dazu zwei auf 42°-Gehrung geschnittene Massivleisten als Kantenanschlag auf ein stabiles Brett spannen.

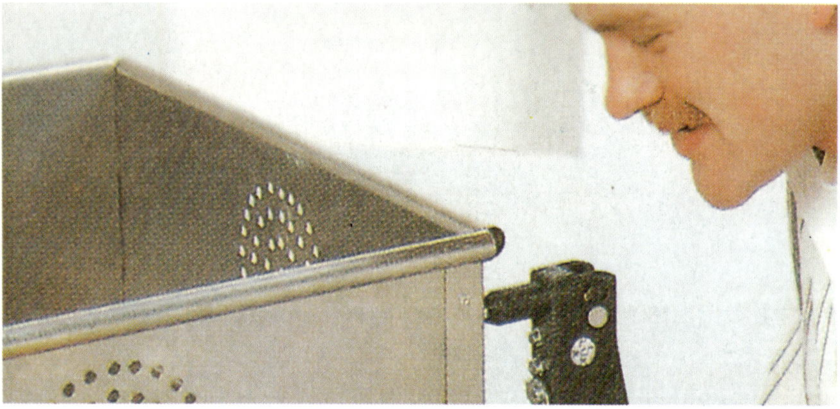

Und so wird der Grillkasten dicht: Einfach an den seitlichen Kanten entsprechend lange Blechwinkel festnieten. Zur besseren Luftzirkulation erhält der Einsatz auf jeder Seite vier Lochrosetten. Wer den Kasten besonders stabil wünscht, kann sich vom Klempner die Oberkanten der Kastenwände umbördeln oder rollen lassen.

Stein-Grill auf Rädern

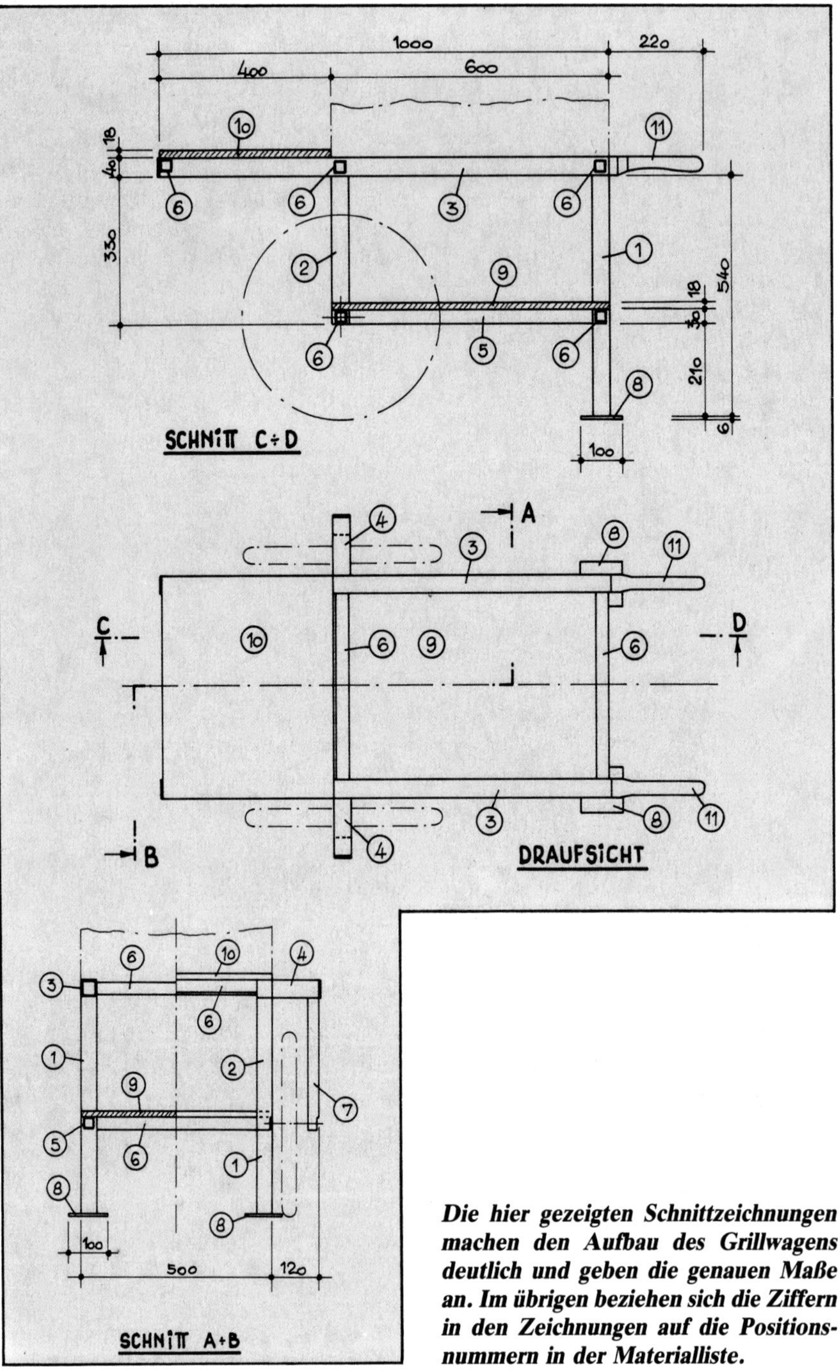

Die hier gezeigten Schnittzeichnungen machen den Aufbau des Grillwagens deutlich und geben die genauen Maße an. Im übrigen beziehen sich die Ziffern in den Zeichnungen auf die Positionsnummern in der Materialliste.

Der Rost, nämlich der, auf dem die Würstchen und Hamburger liegen, ist ein wichtiger Bestandteil bei jedem Grill. Ärgerlich ist bloß, daß sich an normalen Grills meist schon nach einem Gartensommer und der nachfolgenden Winterruhe der ganz gewöhnliche Eisenrost dermaßen breitmacht, daß Sie Ihr schönes Gerät auf den Schrott werfen können. Statt jedes Jahr einen neuen Grill anzuschaffen, schlagen wir Ihnen vor, zur Massiv-Bauweise überzugehen. Unser „Feuer-Stein" besteht aus Beton- oder Basaltplatten, die mit Ankerbolzen verbunden sind – Kunststoffdübel vertragen die große Hitze nicht.

Die schwere Konstruktion verlangt ein tragfähiges, verwindungssteifes Untergestell, das dennoch fahrbar sein muß. Wir empfehlen Ihnen eine geschweißte Konstruktion aus Stahlprofilrohr mit Fahrrad-Rädern. Den Zusammenbau der Grillplatten zeigen Ihnen die Fotos. Arbeiten Sie bei niedriger Drehzahl, damit die Bohrungen exakt ausfallen (Bohrständer). Hier bewährt sich ein Bohrhammer mit elektronischer Regelung oder eine leistungsfähige Elektronik-Schlagbohrmaschine. Basalt wird ohne Schlagwerk gebohrt.

Materialliste

Pos.	Anz.	Bezeichnung	Maße in mm	Material
1	2	Stützen	540 lang	Vierkantrohr 40 × 40 × 2
2	2	Stützen	330 lang	
3	2	Längsträger	1000 lang	
4	2	Ausleger	120 lang	
5	2	Längsträger	520 lang	Vierkantrohr 30 × 30 × 2
6	5	Querträger	420 lang	
7	2	Achslager	330 lang	
8	2	Fußplatten	100 × 100	Stahlblech 6 mm
9	1	Ablageplatte	600 × 500	Leimholz 18 mm
10	1	Ablageplatte	500 × 400	
11	2	Griffe	280 lang	Buche 40 × 40 mm

2 Räder; 4 Plastikstopfen 40 × 40 mm; Schrauben; Lack.
Die Maße für den Steinkasten entsprechen den Außenmaßen der Fahrgestelle, Grundfläche ca. 600 × 500 × 400 (L × B × H).

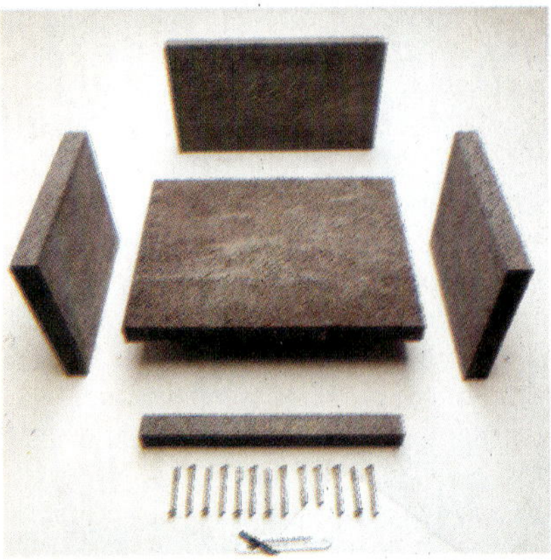

Das Material für die Feuerstelle: vier Platten und ein Riegel aus Beton, dazu die erforderlichen Ankerbolzen.

Der Bohrständer erleichtert Ihnen das Einbringen wirklich exakter Löcher – wichtig dabei auch der Tiefenanschlag.

Die fertigen Außenplatten dienen als Lehre zum Bohren der Bodenplatte.

Die Anker und Bolzen werden zunächst mit dem Imbusschlüssel nur lose verschraubt. Danach setzt man die Bolzen mit sehr vorsichtigen Hammerschlägen und schraubt sie schließlich fest.

Ein Tisch aus Rohr und Glas

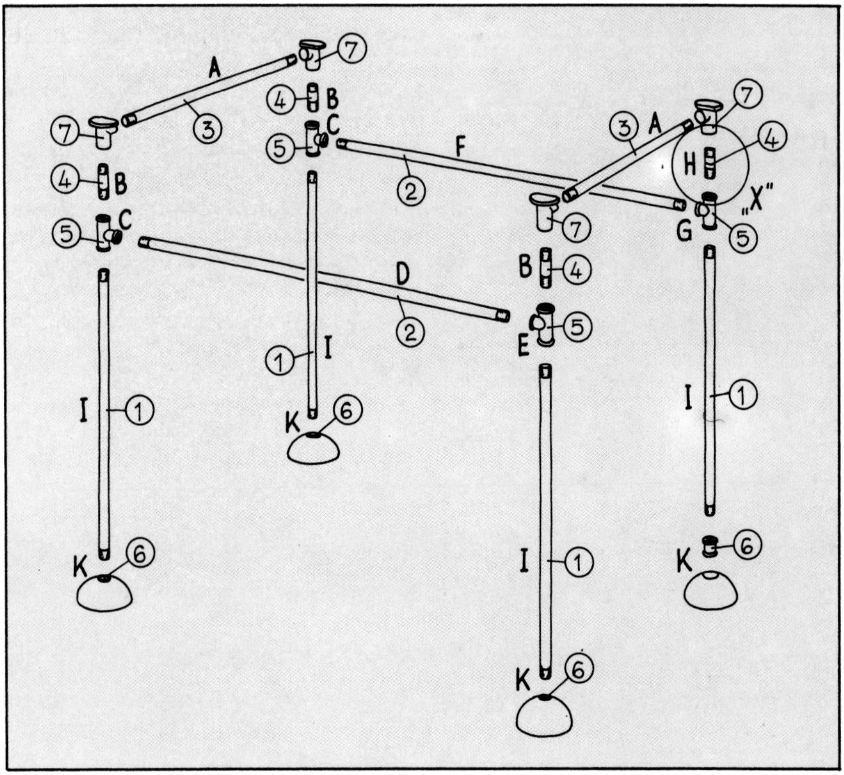

Darauf kommt es besonders an: Achten Sie beim Zusammenbau darauf, unbedingt die alphabetische Reihenfolge der Montageschritte einzuhalten. Bei Punkt H wird das Zwischenstück halbiert und nach dem Einschrauben mit einem Stück Kupferrohr verklebt – die Detailzeichnung auf der rechten Seite verdeutlicht diesen Montageschritt.

Kaum zu glauben, was unsere Tüftler da mal wieder ausgebrütet haben. Beim Materialeinkauf hatte es ja noch ganz so ausgesehen, als solle irgendwo ein zusätzlicher Wasseranschluß installiert werden. Doch dann durfte der staunende Beobachter miterleben, wie ein Tisch geklempnert wurde, der so manche Designer-Möbel lokker in den Schatten stellt.

Einzelheiten gefällig? In der Sanitärabteilung des Baumarktes gibt es ein Regal mit verzinkten, auf Standardmaße zugeschnittenen 1/2"-Rohren. Was lag also näher, als die beidseitig mit Gewinde versehenen Abschnitte und ein paar Muffen und T-Stücke zweckzuentfremden? Im Nu war ein Gestell zusammengeschraubt, das vielleicht eine Tischplatte tragen könnte. Doch halt! Die letzten Teile paßten nicht zusammen. Bei Punkt H (siehe Zeichnung) hätte man das Zwischenstück gleichzeitig in zwei entgegengesetzte Muffen eindrehen müssen – was natürlich nicht ging. Was also tun? Ganz einfach: Das Zwischenstück in der Mitte durchsägen und nach dem Einschrauben der beiden

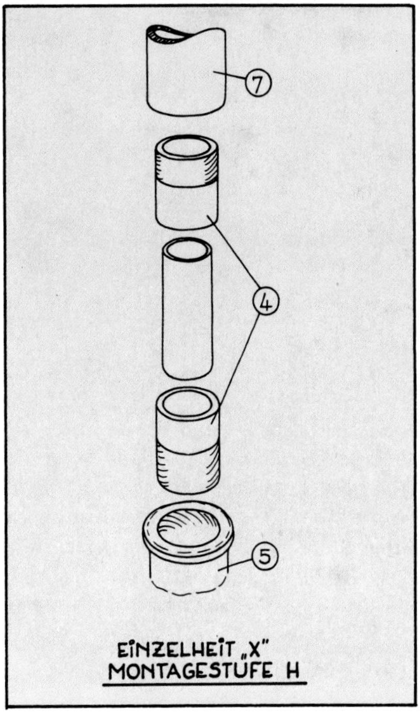

Einzelteile durch ein eingeklebtes Stück Kupferrohr verbinden (Zweikomponenten-Kleber benutzen).

Damit das Gestell ausreichende Standfestigkeit erhält, haben wir ihm noch ein paar gewichtige Füße verpaßt. Dazu wurden in Styropor-Halbschalen (Bastel- und Deko-Bedarf) Rohrmuffen eingeklebt und dann mit Schnellzement ausgegossen. Eine Drahtglasplatte und Lackierung in Trendfarben machten den extravaganten Tisch komplett. Beim Anstrich Farbe mit Additiv zur Zinkhaftung benutzen.

Materialliste

Pos.	Anz.	Bezeichnung	Maße in mm	Material
1	4	Beine	600 lang	Wasserrohr ½"-Gewinde
2	2	Längsriegel	800 lang	
3	2	Querriegel	400 lang	
4	4	Zwischenstücke	60 lang	
5	4	T-Stücke	55 lang	R ½"
6	4	Muffen		R ½"
7	4	Eckverbinder	40 lang	R ½"

1 Drahtglasplatte 1200 × 800 mm; evtl. Teflonband; 1 Stück Kupferrohr; Zweikomponenten-Kleber; Naßschleifklotz; Lack und Zinkadditiv; Beton.

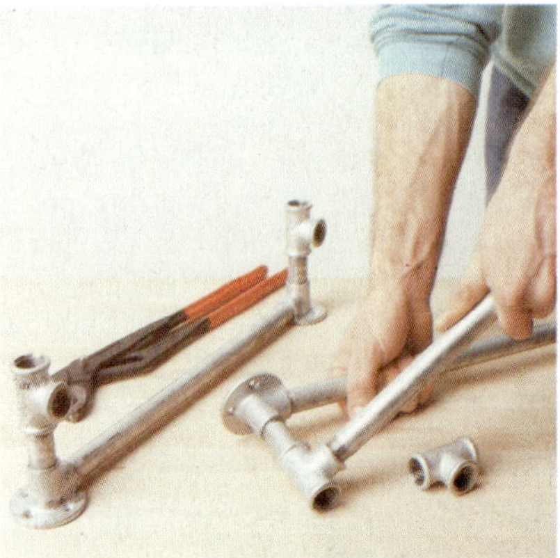

Das Verschrauben geht leichter, wenn man die Gewinde mit Teflonband (im Fachhandel erhältlich) umwickelt. Bei den ersten Montageschritten (Foto) hilft die Hebelkraft.

Nach dem Zusammendrehen sollte man sehr sorgfältig die Abstände messen. Vor dem Lackieren müssen die Rohre gründlich entfettet werden, anschließend klebt man sie bei mehrfarbigen Anstrichen an den Knotenpunkten ab.

Die Kanten der Tischplatte aus Drahtglas muß man naß schleifen.

In die Fußteile werden Rohrmuffen als Verbindungselemente eingegossen. Sobald der Beton ausgehärtet ist, werden die Füße zunächst mit Haftgrund gestrichen und anschließend mit Farb-Additiv lackiert.

Diesen Stuhl hat längst nicht jeder

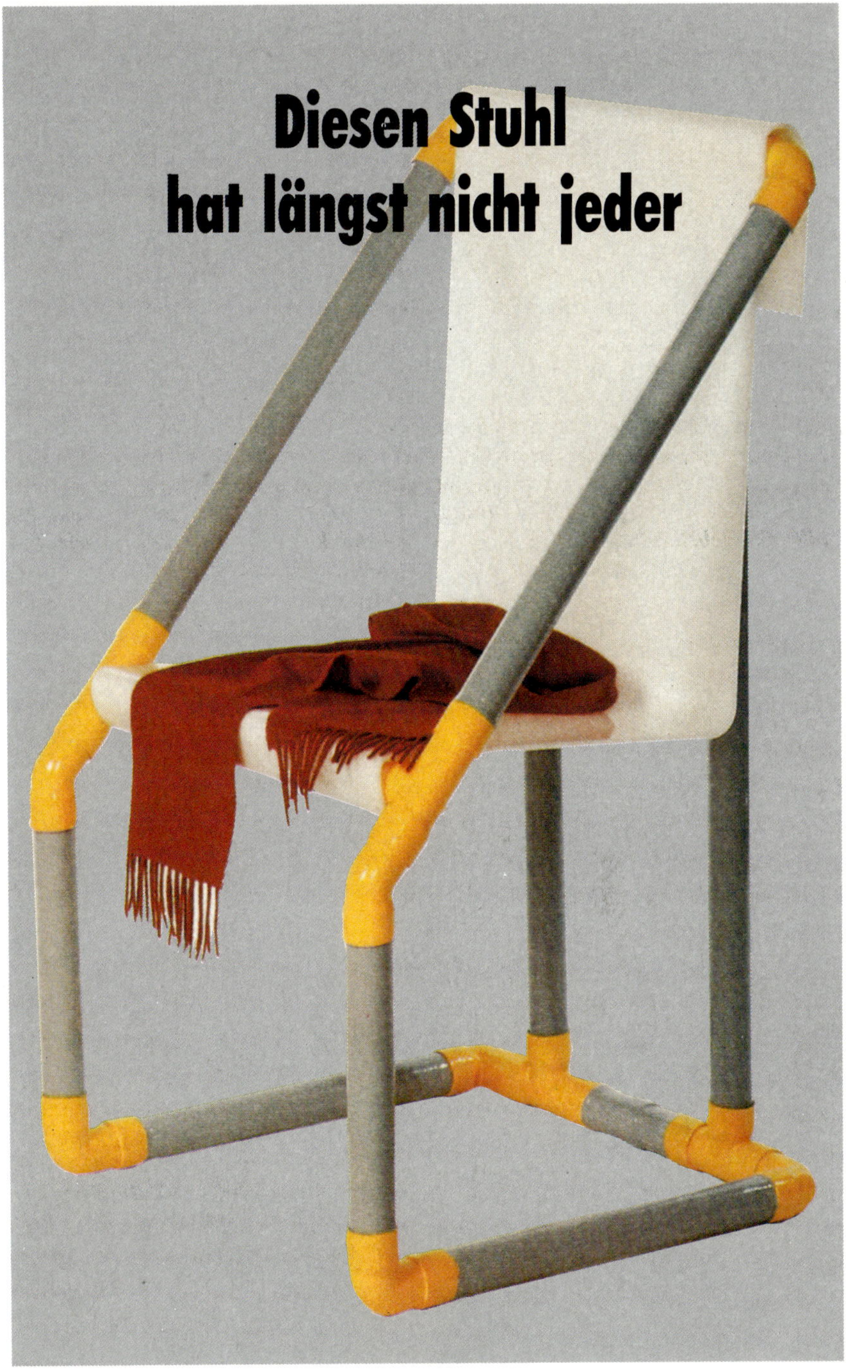

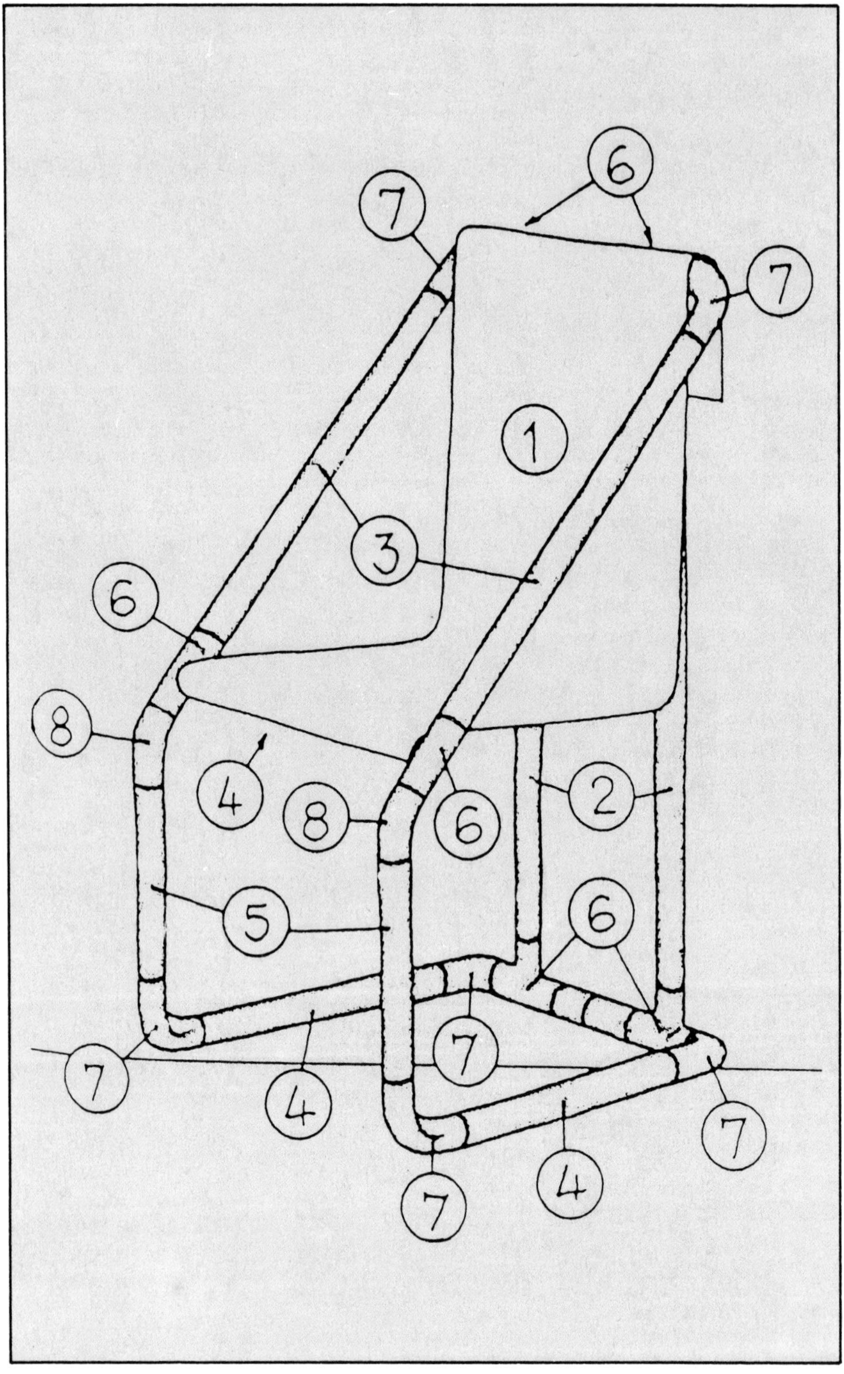

6
7
7
1
3
6
8
4
8
6
2
5
6
7
7
4
7
7
4

Der Nachbau dieses „Leichtgewichts" aus Kunststoffrohren und -Fittings ist nicht schwierig und verlangt auch nur wenige Werkzeuge: Zollstock, Winkel, Stahlwolle, Pinsel, Zwingen, Gehrungssäge oder elektrischen Fuchsschwanz. Verbunden werden die Kunststoffteile mit einem speziellen Zweikomponenten-Kleber für PVC. Um eine sichere Haftung zu erzielen, müssen Sie alle Kontaktflächen vor dem Kleberauftrag mit Stahlwolle reinigen. Dabei werden auch haftungsschädliche Trennmittelreste zuverlässig entfernt. Wichtig ist, daß man die gesäuberten Stellen vor dem Verkleben nicht mehr anfaßt. Das Hautfett könnte sonst die Kleberhaftung mindern. Die Teile nach dem Zusammenfügen mit einer Bandage aus stark gekrepptem Klebeband fixieren; das verhindert ein Ausfließen des Klebers. Montiert wird systematisch von unten nach oben, wobei man die Verklebungen immer wieder mit Winkel und Wasserwaage überprüfen sollte. Die Querverbindungen zwischen den hinteren T-Stücken (oben und unten) bestehen aus den abgeschnittenen, nicht benötigten Muffen der Langrohre. Den Sitz aus einer 5 mm dicken Acrylglasplatte biegt man schließlich über einem mit Alufolie umwickelten PVC-Rohr mit der Heißluftpistole passend zurecht.

Materialliste

Pos.	Anz.	Bezeichnung	Maße in mm	Material
1	1	Sitz	1200 × 420	Acryl, 5 mm dick
2	2	Stützen	900 lang	PVC-Abflußrohr 40 mm ∅
3	2	Streben	600 lang	
4	3	Streben	450 lang	
5	2	Stützen	300 lang	
6	6	T-Stücke		
7	6	90°-Winkelstücke		
8	2	45°-Winkelstücke		

EA-Lacke (gelb, weiß, schwarz), Additiv VKF; tesa-krepp; technicoll mix (langsam härtend).

Saubere, winkelgerechte Schnitte mit der Gehrungssäge erleichtern den Zusammenbau unseres Rohrstuhls ganz beträchtlich. Vor dem Verkleben von Fittings und Rohren die Muffen absägen und die Kontaktflächen sorgfältig mit Stahlwolle abreiben.

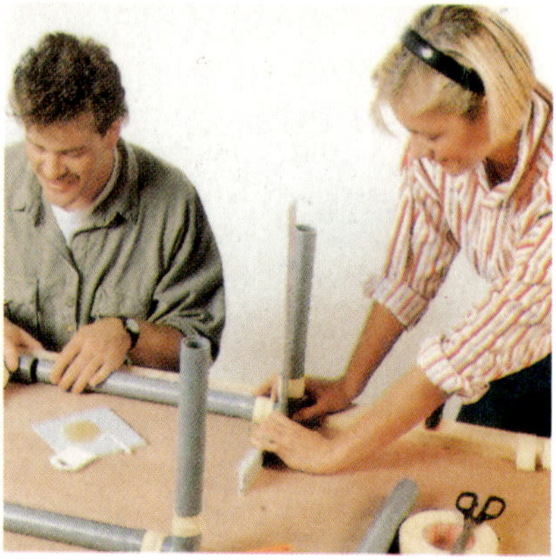

Zwei im rechten Winkel fixierte Anschlagleisten stellen eine winkelgerechte Verbindung während des Verklebens absolut sicher.

Im Bereich der Rückenlehne verbindet man den Stuhl mit einer aufgeklebten Schiebemuffe, die man mit Kreppband fixiert.

Nach dem Grundieren und Lackieren folgt dann der letzte Akt: die Sitzfläche und Rückenlehne. Sitz und Rückenlehne bestehen aus einem weißen Acrylglas-Rechteck, das sich mit der Heißluftpistole paßgerecht biegen läßt.

Ein Sitz aus Schaum und Fliesen

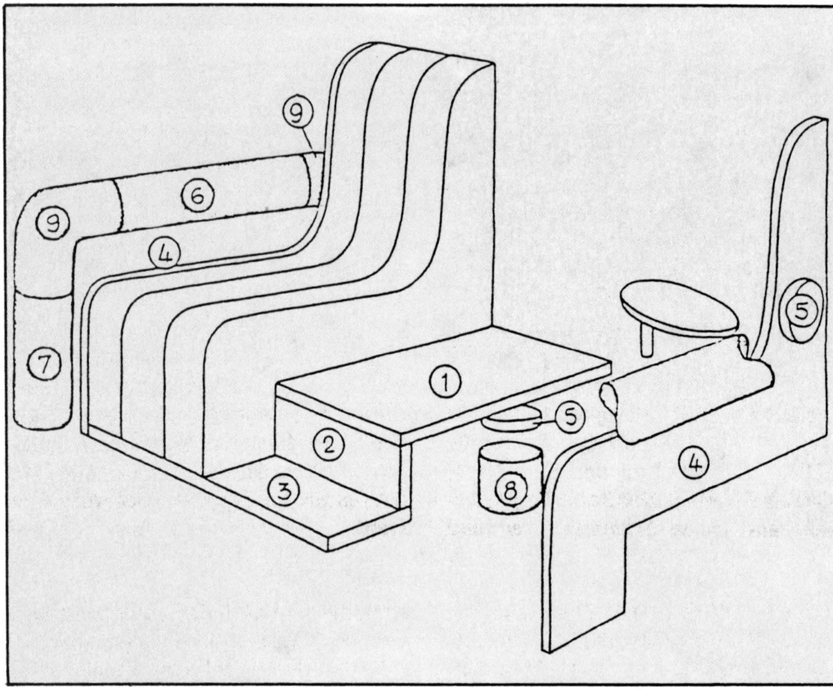

Der „auseinandergezogene" Sitz. Gut zu erkennen: die Aufnahmeplatten (5), die die Verbindung zwischen Armlehnen/Beinen und dem Sesselkorpus herstellen. Als Glashalter dient ein ovales Tablett, das mit der Lochsäge noch einen kreisrunden Ausschnitt für das Glas erhält. Deutlich zu sehen auch der Unterbau des Sessels, die Stufe aus 20 mm starken Multiplex-Platten.

Zunächst zeichnet man die beiden Seitenteile ineinandergeschachtelt auf 20 mm dickes, wasserfest verleimtes Sperrholz auf und schneidet sie mit der Stichsäge konturgenau aus. Beim Zuschnitt der Schaumlamellen – diesmal mit dem Fuchsschwanz – dienen diese beiden Seitenteile dann als Schablone. Sie werden mit Schraubzwingen dekkungsgleich von beiden Seiten gegen eine Roofmate-Platte gespannt. Gleichzeitig sind sie Führung für das Sägeblatt. Insgesamt sieben einzelne Schaumspanten klebt man mit Kontaktleim zum Sesselkorpus zusammen. Den stufenförmigen Sesselunterbau verleimen und verschrauben. Schaumkern und Unterbau dann mit Kontaktleim verbinden und die Seitenteile wiederum mit dem Unterbau verschrauben. Zuvor angegebener Kontaktleim verbindet die Seitenteile mit dem Schaumkern. Für den nötigen Anpreßdruck sorgen große Zwingen. Armlehnen und Sesselfüße bestehen aus PVC-Rohrabschnitten. Diese finden an Kreisscheiben Halt, die man unter die Sitzplatte bzw. auf die beiden Seitenteile schraubt und verklebt. Jetzt wird der fertige Korpus (ohne PVC-Rohre) mit Fliesen verkleidet. Ein schmales Stäbchenmosaik eignet sich am besten, weil es sich sauber um Rundungen legen läßt. Damit der Kleber wasserdicht wird, mischt

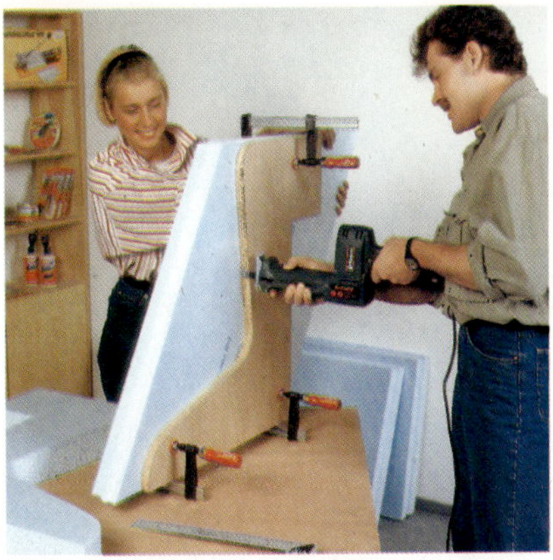

Die mit Zwingen befestigten Seitenteile dienen beim Zuschnitt der Schaumlamellen als Schablone und dem Sägeblatt als Führung. Der Sesselkorpus besteht aus sieben Schaumspanten und wird mit Kontaktleim zusammengefügt. Die Sesselfüße aus Rohrabschnitten finden auf Kreisscheiben Halt, die man fest unter die Sitzplatte schraubt und klebt.

man Kunststoffdispersion bei. In diesen Dünnbettauftrag kommt dann ein Armierungsgewebe, das straff gespannt und an den Holzseitenteilen mit dem Tacker fixiert wird. Die Mosaikmatten einbetten und nach dem Abbinden bunt verfugen. Alle Holzteile erst grundieren (Additiv VKF beimischen), dann lackieren.

Materialliste

Pos.	Anz.	Bezeichnung	Maße in mm	Material
1	1	Sitzplatte	500 × 600	Multiplex 20 mm dick
2	1	Quersteg	130 × 600	
3	1	Bodenplatte	220 × 600	
4	2	Seitenteile	700 × 700*)	
5	4	Aufnahmeplatten	∅ 95	
6	2	Armlehnen	600 lang	PVC-Abflußrohre 100 mm ∅
7	2	Füße	400 lang	
8	2	Füße	150 lang	
9	4	90°-Winkelstücke		

Ca. 1,5 m^2 Fliesen, Minos-Mosaik, Farbe 972 (V&B); ca. 1,5 m^2 Armierungsgewebe; Roofmate, 7 Platten, 80 mm dick, 1250 × 700; Fliesenkleber; Zweikomponenten-Kleber; Kontaktleim und Holzleim; 1 Rundstab, 20 mm ∅, 130 lang; Tablett aus Restholz.
*) aus einer Platte 1200 × 700 schneiden.

Hier werden die Seitenteile mit dem Unterbau verschraubt. Kontaktleim verbindet die Seitenteile flächig mit dem Schaumkern.

Sicherheitskleber unter Beigabe von Kunststoffdispersion dünn auftragen, Armierungsgewebe einbetten und mit dem Tacker fixieren.

Die Armlehnen werden auf die gleiche Weise befestigt wie die Sesselfüße, nämlich mit Hilfe von Aufnahmeplatten (5), die einen Durchmesser von 95 mm haben. Ist der Rohbau nun fertig, folgt der wetterfeste Anstrich, bei dem man vor allem darauf achten muß, die Farbabgrenzungen sorgfältig abzukleben.

Dekorative Blumenbank

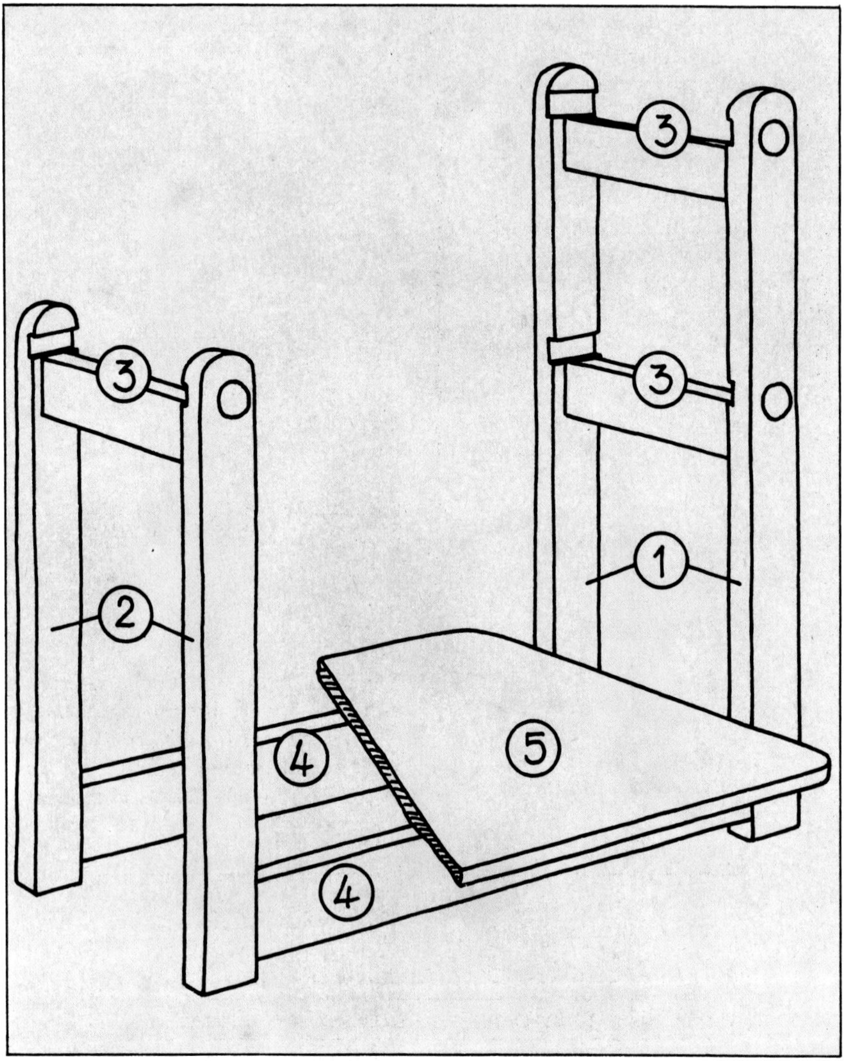

Unsere Zeichnung zeigt den Aufbau der Blumenbank. Die seitlichen Ablagen sind hier nicht dargestellt, damit die Aussparungen in den Stützen für Sie sichtbar bleiben.

Schöne Topfpflanzen stehen oft akkurat in einer Reihe auf Fensterbänken – versteckt hinter Gardinen. Man selbst kann sich also gar nicht richtig am Anblick seiner Gewächse erfreuen.

Deshalb haben wir für Sie eine tolle Blumenbank entworfen, mit der Sie Grünes und Blühendes im wahrsten Sinne des Wortes ins rechte Licht rükken können. Die Form ist schlicht, aber nicht eintönig, so daß die Bank überall ihren Platz findet, ohne aus dem Rahmen zu fallen. Daneben ist das Möbel einfach zu bauen – „leichte Kost“ für gewiefte Holzwürmer also und ein ideales Objekt für Do-it-yourself-Einsteiger.

Nun aber zum Bau in Kurzform: Die Stützen oben abrunden und die Aussparungen für die seitlichen Ablagen arbeiten. Dann alle nötigen Sackbohrungen einbringen und Stützen, Längs- und Querstreben verbinden. Die Ablagen erst mit Aufleimer versehen, verschleifen und danach mit Lackleim auf den Streben und in den Aussparungen fixieren. Die Holzteile lackieren – fertig.

Pflanzen-Kombinationen		
1. Variante Freiland Kräuter	2. Variante Freiland Blühendes Arrangement in Weiß mit rotem Tuff	3. Variante Zimmer Arrangement für vier Jahreszeiten
Pflanzen für die 500×500 mm große Grundplatte		
Schnittlauch Zitronenmelisse Salbei Borretsch Ysop Lavendel	weiße Petunien weißer Ziertabak duftende Reseda	verschiedene Farne, beispielsweise Nestfarn Schwertfarn Frauenhaarfarn Streifenfarn Geweihfarn Saufarn
Pflanzen für die 250×250 mm großen Seitenplatten		
Weinraute (unten) Maggikraut (oben)	weiße Glockenrebe (unten, schlingt hoch) weiße Verbenen (oben)	Efeu (unten) Usambaraveilchen (oben)
Pflanzen für die runde Seitenplatte (∅ 250 mm)		
blühende Kapuzinerkresse	rote Pelargonien	je nach Jahreszeit eine blühende Topfpflanze, zum Beispiel Azalee Gloxinie

Die Pflanzenkombinationen, die wir Ihnen hier für die Blumenbank empfehlen, gleichen sich in ihren Wachstumsbedürfnissen. Sie sollten darauf achten, wenn Sie andere Pflanzen dazunehmen möchten.

Materialliste

Pos.	Anz.	Bezeichnung	Maße in mm	Material
1	2	Stützen	630 lang	Kiefer 60×30 mm
2	2	Stützen	505 lang	
3	3	Querstreben	240 lang	
4	2	Längsstreben	502 lang	Kiefer 80×20 mm
5	1	Ablage	500×500	besch. Spanplatte 19 mm

Aus 19-mm-Spanplatte (beschichtet): 2 Böden 250×250, 1 Boden 250 mm ∅; Aufleimer zum Aufbügeln, weiß, 20 mm breit; 6 Holzkugeln, 25 mm ∅; 26 Holzdübel, ∅ 8×40 mm; Holzleim; Lackleim.

Alle Stützen der Blumenbank schneidet man an ihren oberen Enden halbrund und schleift sie dann gründlich nach.

Sind alle Sacklöcher und die Aussparungen für die Ablagen hergestellt, verbindet man zuerst je eine Längsstrebe . . .

. . .mit einer langen und einer kurzen Stütze, wobei Holzdübel und Holzleim für Halt sorgen. Dann noch einmal gut schleifen.

Auch die Querstreben werden verleimt und verdübelt. Die Ablagen versieht man mit Aufleimern. Dann wird montiert und der Lack aufgetragen.

Der Dreh mit dem Tisch

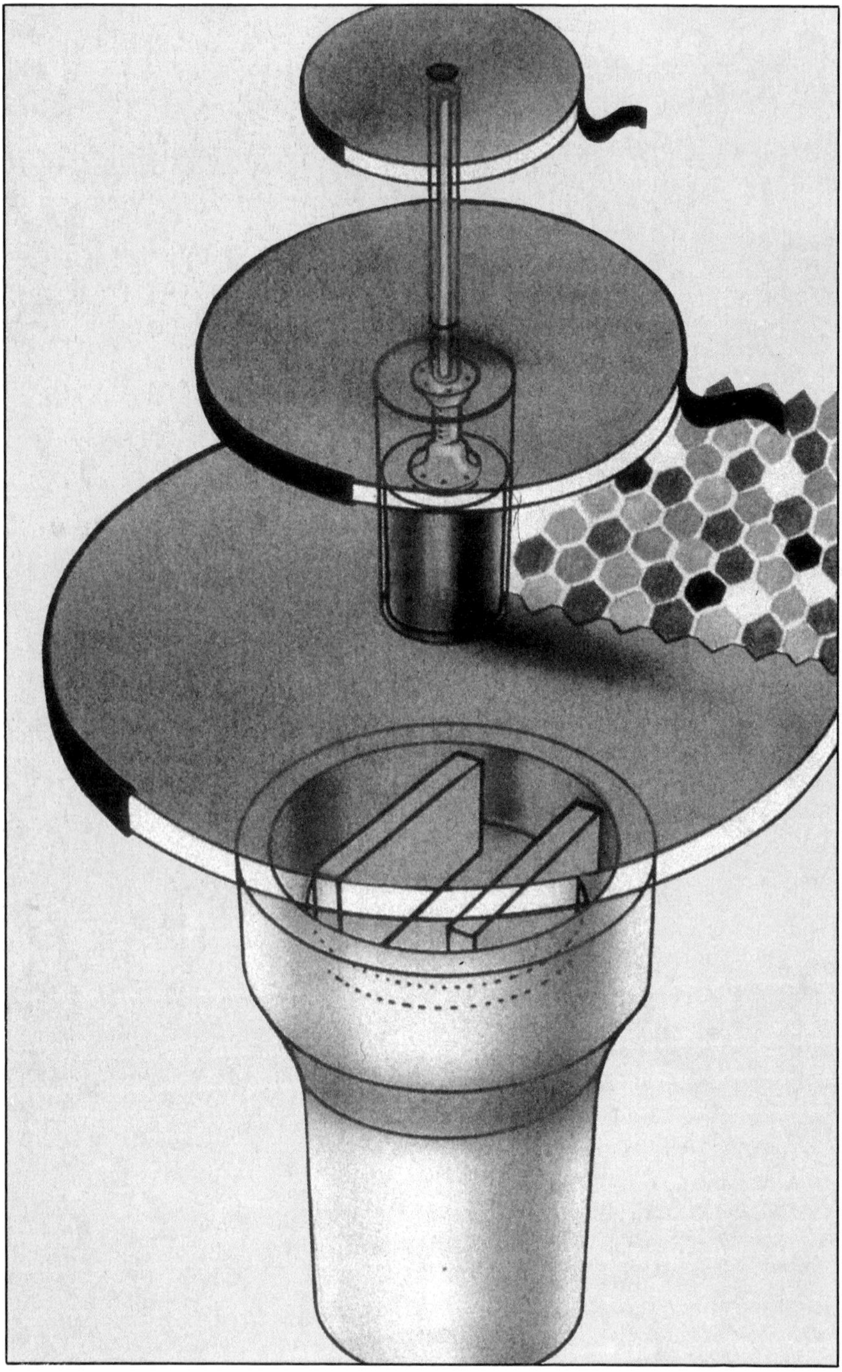

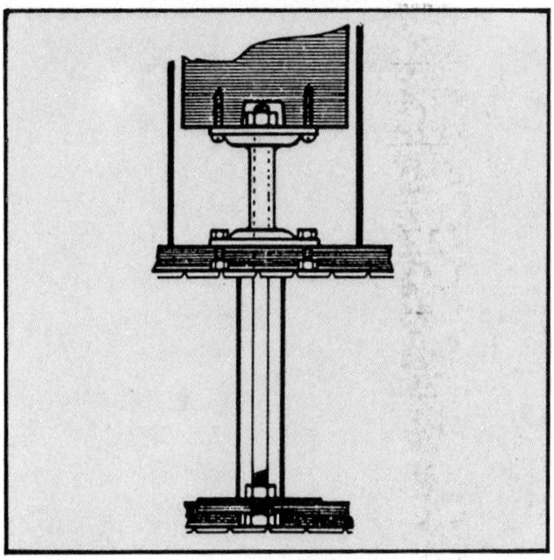

Detail oben: Fahrradnabe und Verlängerung werden angeschraubt. Zu Zeichnung links: Platte in das Betonrohr einsetzen, Tischplatte und Rundholz aufschrauben, Fahrradnabe samt Verlängerung montieren und drehbare Platte mit Schrauben befestigen.

Ein Betonrohr mit Muffe hält als Tischbein her. Es wird zunächst grundiert, dann zieht man einen Landhausputz auf, den man mit dem Reibebrett strukturiert.

Wir zeigen Ihnen, wie Sie einen rustikalen Tisch für die Terrasse, der viel Platz für erfrischende Köstlichkeiten bietet, selbst bauen können. Grundieren und verputzen Sie ein Betonrohr (75 cm, Ø 50 cm), in das Sie eine Scheibe einlegen. Scheibe (19-mm-Tischlerplatte, Innendurchmesser der Rohrmuffe) mit zwei Langhölzern verschrauben, die beim Einlegen bündig mit der Muffe abschließen. Die Platte mit Fliesenkleber in der Muffe befestigen. Aus einer phenolharzgebundenen 19-mm-Spanplatte Tisch- (Ø 140 cm, zweimal), Dreh- (Ø 60 cm) und Abschlußplatte (Ø 30 cm) aussägen. Ein Rundholz (150 mm lang, Ø 80 mm) mit zentraler 20-mm-Bohrung, die 20 mm tief ist, mittig auf der aufgedoppelten Tischplatte verleimen und verschrauben. Die Tischplatte auf dem Betonrohr ausrichten und mit den Langhölzern verschrauben.

An einer Fahrradnabe eine Unterlegscheibe (Ø 60 mm) montieren und die Scheibe auf dem Rundholz verschrauben. Der Achsstummel der Nabe ruht in der 20-mm-Bohrung. Das freie Nabenende verlängern Sie mit einem hart angelöteten Rohr (250 mm lang, Ø 20 mm), das oben ein Gewinde hat. Durch den oberen Nabenkranz vier M-3-Schrauben ziehen und mit Muttern fixieren. Ein PVC-Rohr, das kurz unter dem Nabenflansch endet, über die Nabe schieben. Die Drehplatte mittig mit einer 20-mm-Bohrung und vier beidseitig für die Muttern abgesenkten Bohrungen, die den Positionen der M-3-Schrauben entsprechen, versehen. Die

Platte montieren. Die Abschlußplatte erhält eine beidseitig angesenkte 20-mm-Bohrung. Sie wird mit zwei Muttern und einer Unterlegscheibe (oder einer Gewindemuffe) an der verkleideten Nabenverlängerung befestigt. Zum Schluß die Oberflächen verfliesen, verfugen und die Schnittkanten mit PVC-Umleimer-Profil kaschieren. Plattenunterseiten grundieren und lakkieren.

Nun schneidet man eine Tischlerplatte mit dem Innendurchmesser der Muffe rund aus und schraubt zwei Klötze darauf, die so hoch sind, daß sie sich mit der Platte in dem Flansch „versenken" lassen und dann bündig mit dem Rohrrand abschließen.

Der Deckel wird mit Fliesenkleber in das Rohr eingeleimt, und während er trocknet, beschäftigen wir uns mit der Tischplatte. Das exakte Aussägen aller runden Platten gelingt sehr gut mit der Kreisschnur, die eine Führung für die Stichsäge bildet. Auch die Drehplatte und die Abschlußplatte werden so ausgeschnitten. Beide Platten erhalten dann jeweils in der Mitte eine 20-mm-Bohrung, die die Verlängerung der Radnabe aufnehmen wird.

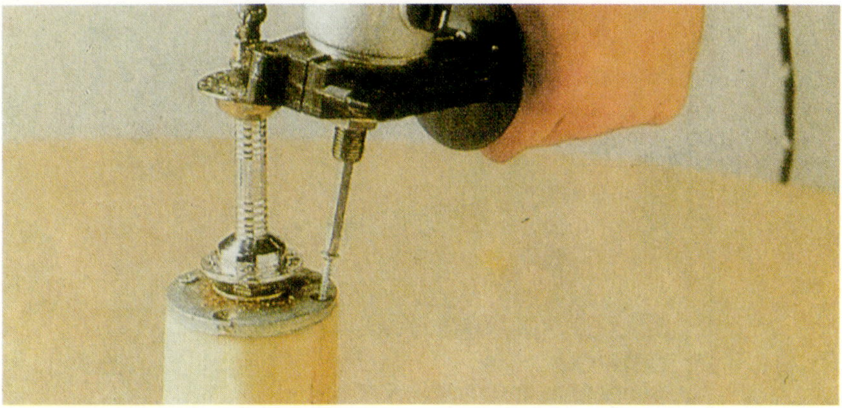

Auf die Tischplatte wurde inzwischen das Rundholz geschraubt und die Platte wiederum auf die Klötze im Betonrohr. Jetzt wird die Fahrradnabe mit Verlängerung auf dem Rundholz befestigt (Unterlegscheibe nicht vergessen). Die überstehende Nabe verschwindet in der 20-mm-Bohrung des Rundholzes. Nabe und Rundholz werden von einem PVC-Rohr verdeckt, das kurz unter dem Nabenflansch endet.

Jetzt kann man die Drehplatte montieren: Sie wird mit vier Schrauben befestigt, die sie mit dem oberen Ende der Fahrradnabe verbinden.

Über die Verlängerung der Nabe wird wieder ein PVC-Rohr als Verkleidung gestülpt – jetzt natürlich mit entsprechend kleinerem Durchmesser. Anschließend befestigt man die obere Platte mit zwei Muttern oder einer Gewindemuffe.

Mit dem Zahnspachtel zieht man den Fliesenkleber gleichmäßig auf die Tischplatten auf und legt dann die Fliesen sorgfältig in das Kleberbett ein; anschließend spachtelt man die Plattenränder mit Fliesenkleber ab und bringt die Umleimer an.

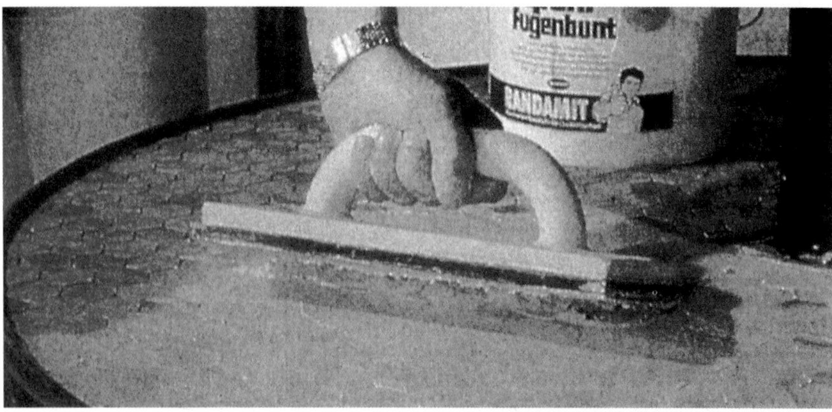

Letzter Akt unseres Drehs mit dem Tisch: das Verfugen. Die Fugenmasse wird vollflächig in die Fugen eingearbeitet, am besten mit dem Reibebrett.

Die rollende Sonnenbank

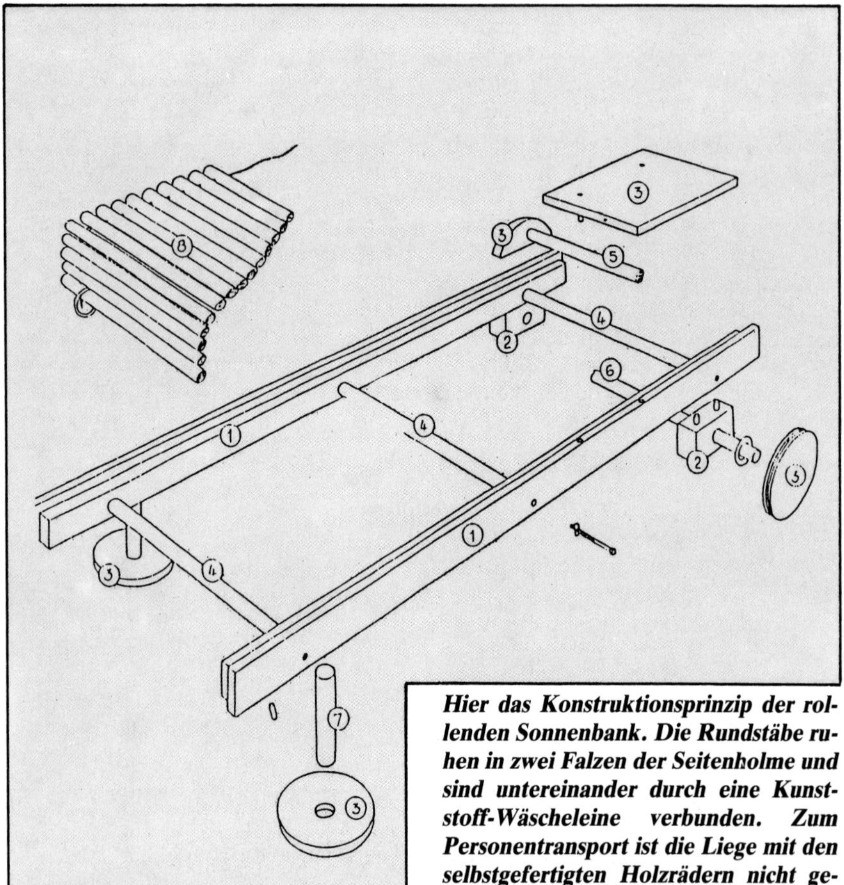

Hier das Konstruktionsprinzip der rollenden Sonnenbank. Die Rundstäbe ruhen in zwei Falzen der Seitenholme und sind untereinander durch eine Kunststoff-Wäscheleine verbunden. Zum Personentransport ist die Liege mit den selbstgefertigten Holzrädern nicht geeignet. Übrigens, Sie sollten bei der Montage der Räder die Unterlegscheiben nicht vergessen, andernfalls dürfte das Fahrwerk später klemmen.

Während draußen noch die Maiglöckchen blühen, ist es Zeit, in der Werkstatt den Sommer in Angriff zu nehmen. Im Juli wollen Sie schließlich nicht über der Hobelbank schwitzen, sondern die Sonne genießen – zum Beispiel auf unserer „rollenden Sonnenbank", die wir Ihnen auf diesen Seiten vorstellen.

Das Besondere daran ist die Liegefläche. Sie besteht nämlich aus Rundhölzern, die an einer Schnur aufgereiht sind und mit Hilfe von kurzen Abschnitten aus einem Plastikschlauch auf Abstand gehalten werden. Daraus entsteht eine tragfähige und dennoch gut belüftete Liege, die man auf Wunsch mit einer Decke oder einer Schaumstoff-Auflage weicher machen kann. Vielleicht haben Sie aber auch einfach Spaß an dem Massageeffekt, den die elastischen Rollen hervorrufen.

Die notwendigen Rundhölzer sind in den gängigen Holzarten Kiefer und Ramin zu haben. Beide Hölzer sind hell und gut zu bearbeiten, wenn man scharfe Bohrer benutzt und darauf achtet, daß das Holz nicht splittert.

Die hölzernen Räder und die zwei gleichgroßen tellerförmigen Stützen sind zwar nicht geeignet, um die Sonnenliege in ein rollendes Gefährt zu verwandeln. Sie passen aber zum handwerklichen Holzcharakter des Möbels. Wenn Sie mehr Wert auf „Rollkomfort" als auf Aussehen legen, können Sie statt dessen auch fertige Transportrollen montieren, die es im Fachhandel in verschiedenen Größen mit und ohne Drehgelenk gibt.

Als besonderen Pfiff besitzt unsere Liege eine praktische Ablageplatte für kühle Getränke und spannende Krimis. Statt der Holzdübel, die unsere Zeichnung zeigt, können Sie die Ablage auch mit Schloßschrauben und Flügelmuttern befestigen. So kann die Ablage demontiert werden, wenn die Liege für den nächsten Winter senkrecht stehend verstaut wird.

Materialliste

Pos.	Anz.	Bezeichnung	Maße in mm	Material
1 2	2 2	Rahmenhölzer Achslager	1820 lang 150 lang	Kiefer 78×58 mm
3	1	Platte	1500×250*)	Kiefer 28 mm dick
4 5 6 7	3 1 1 2	Querstreben Verbindung Achse Stützen	660 lang 640 lang 750 lang angepaßt	Rundholz 28 mm Ø
8	100	Trägerhölzer	660 lang	Rundholz 15 mm Ø

6 Holzverbinderbeschläge; Holzdübel Ø 8 und 10; Gummidichtringe je 2×50 und 180 mm Ø; 1,5 lfd. m Kunststoffschlauch; 5 lfd. m Kunststoff-Wäscheleine; wasserfester Holzleim.

*) für 2 Räder, Stützplatten, Kopfstützen und Ablage.

Zunächst werden mit der Kreissäge oder Fräse die Falze in die Seitenholme gefräst, die die Rundhölzer aufnehmen sollen. Dann folgen die Bohrungen für die drei Querholme (unser Foto), womit das Grundgerüst schon montierbereit ist.

Eine einfache Anschlag-Lade hilft beim Durchbohren der Rundstäbe für die Liegefläche.

Die Rundstäbe werden mit zwei Seilen (Kunststoff-Wäscheleinen) verbunden. Um die gleichen Abstände zu gewährleisten, werden zwischen die Rundstäbe Abstandshalter gefädelt, die aus einem Plastikschlauch geschnitten wurden.

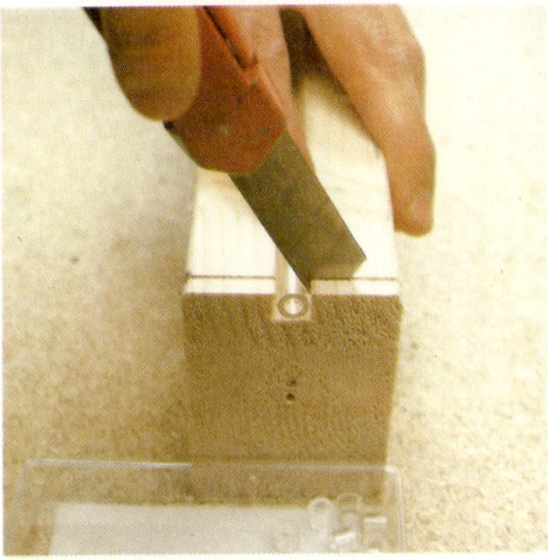

Diese Abstandshalter, es sind immerhin 200, schneidet man am rationellsten mit Hilfe der hier abgebildeten Schneidlehre, die sich schnell aus einem Stück Abfallholz herstellen läßt.

Und hier sehen Sie das Fahrgestell aus der Nähe. Die Räder wurden aus Kiefernholz ausgesägt, die „Achslager" sind mit den Längsholmen verdübelt und verleimt.

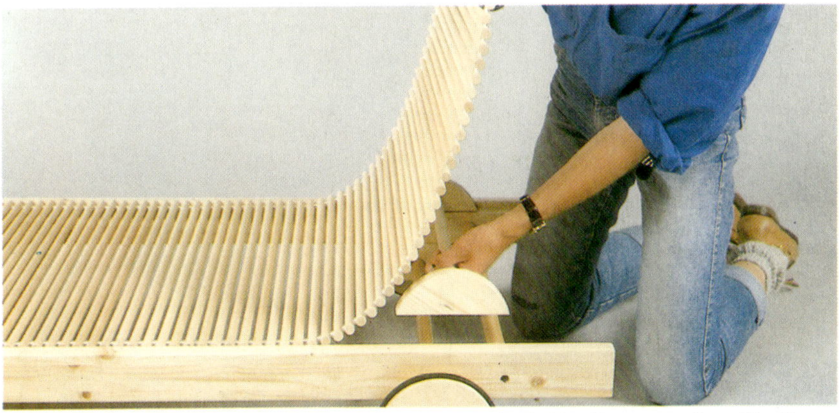

Ein besonders pfiffiges Element unserer Liege ist die Nackenstütze, die sich stufenlos in den Falzen der Holme nach oben oder unten bewegen läßt und für eine individuell angepaßte Kopflagerung sorgt. Sie wird nicht weiter befestigt, sondern von der Rundholzauflage in ihrer Position gehalten.

Die kleinen Gummiringe dienen zum Spannen der Holzauflage. Gegenstück sind zwei in die Holme eingeleimte Holzdübel. Apropos Holz: Man kann die Liege natürlich auch mit stabilen Transportrollen statt der Holzkullern versehen, dann rollt sie zwar leichter, verliert aber ihren Holzcharakter und damit einiges von ihrem Charme.

Servierwagen – Erfrischung gefällig?

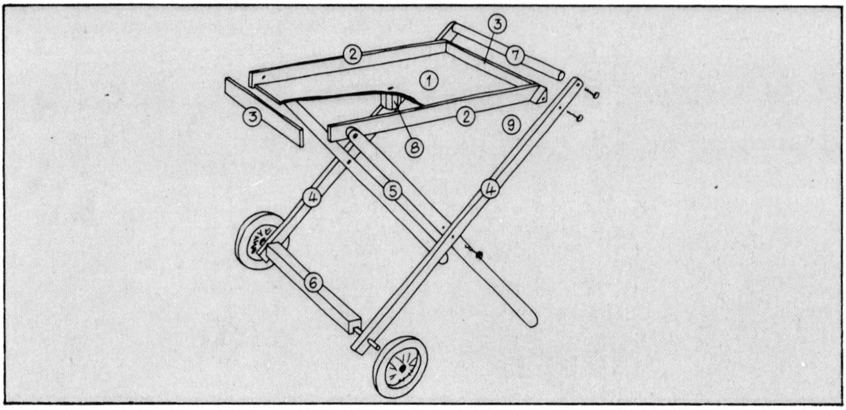

Die Einheit aus Ablageplatte (Position 1 in Materialliste und Zeichnung) und Randstreifen (2) und (3) leimen Sie zusammen und verstärken sie mit kleinen Nägeln. Ein Aufnahmeholz kann für einen Schirm untergeleimt werden. Die Griffstange (7) setzen Sie mit 4-mm-Schrauben zwischen die Stützen (4). Die Achse zweifach bohren und mit 3-mm-Schrauben in der Nut des Achsenträgers (6) fixieren. Linsenkopfschrauben und Hutmuttern tragen zum guten Aussehen bei.

Materialliste

Pos.	Anz.	Bezeichnung	Maße in mm	Material
1 2 3	1 2 2	Ablageplatte Randstreifen Randstreifen	627 × 380 647 × 50 380 × 50	Sperrholz 10 mm dick
4 5	2 2	Stützen Stützen	905 lang 845 lang	Kiefer 30 × 18 mm
6	1	Achsenträger	438 lang	Kiefer 30 × 30 mm
7	1	Griffstange	438 lang	Buche ∅ 28 mm
8	1	Aufnahmeholz	75 lang	Kiefer 75 × 75 mm
9	2	Distanzklötzchen	19 dick	Kiefer 45 × 45 mm

1 Drahtkorb, ca. 600 × 400 mm; 2 Spanplattenschrauben 4,0 × 40; 2 Linsenkopfschrauben M5 × 35 mit Hut-Muttern und U-Scheiben; 2 Linsenkopfschrauben M5 × 25 mit Rampa-Muffe M5; 2 Linsenkopfschrauben M5 × 50 mit Hut-Muttern und je 3 U-Scheiben; 6 Spanplattenschrauben 3,0 × 17 mit Kabelschellen (Achs- und Korbbefestigung); 1 Satz Räder mit Achse; Holzleim; Nägel.

Wetterfeste Lichtobjekte

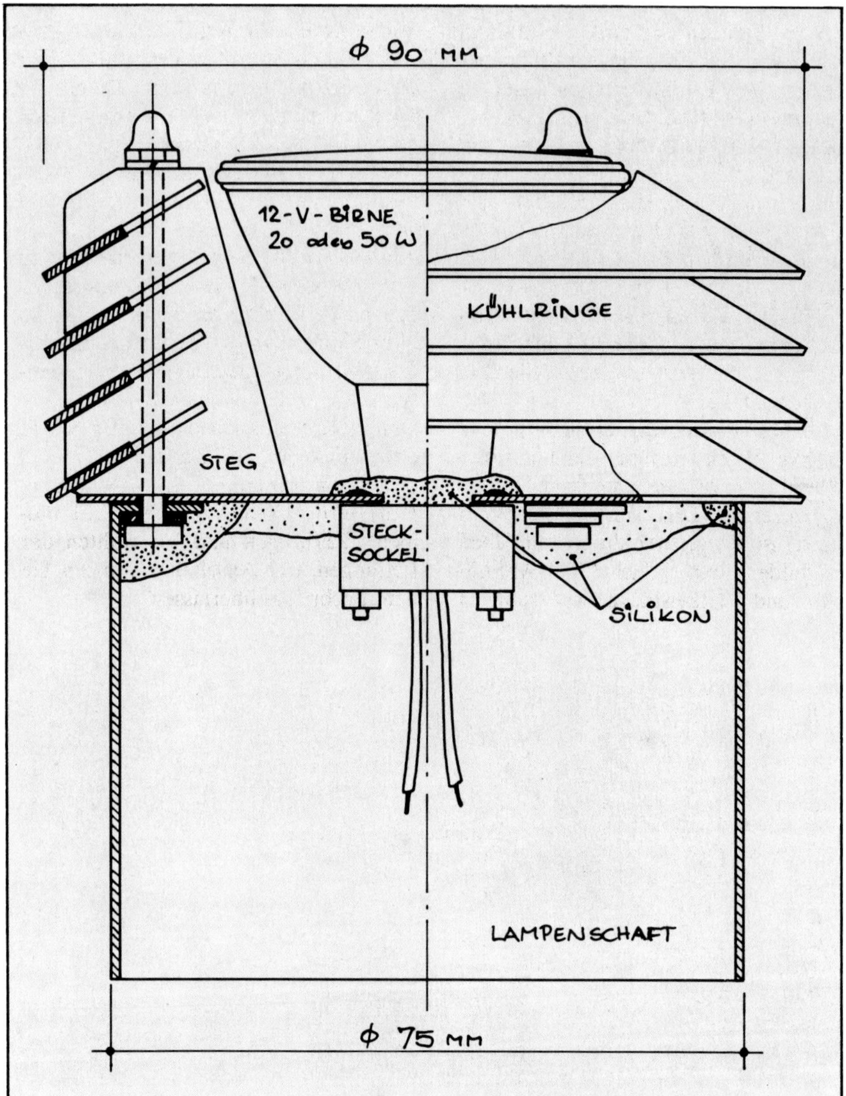

Die Schemazeichnung zeigt, wie der Lampenkopf aus 0,8 mm dickem Alu-Blech aufgebaut wird. Die Platte für den Schaft ist 235 x 60 mm groß. Eine Längsseite erhält drei gleichmäßig am Umfang verteilte Ösen. Mit Hilfe einer Lasche und von sechs Blindnieten entsteht der runde Lampenschaft. Die Kühlringe haben 104 mm Außen- und 60 mm Innendurchmesser. Der Keilausschnitt beträgt 48°. Wenn der Stecksockel verschraubt, der Kopf mit den Kühlringen montiert und die Niedervolt-Glühbirne eingesteckt ist, wird alles mit Silikon versiegelt. Der zur Erzeugung der 12 Volt notwendige Transformator muß an einem wettergeschützten Platz untergebracht sein.

Die Beleuchtung auf dem Balkon oder der Terrasse macht immer wieder mal Kopfzerbrechen: Kerzen flackern und erlöschen hin und wieder, die gute alte Petroleumfunzel rußt und blakt wie eh und je, und die Wohnzimmerstehlampe muß dauernd hin- und hergeräumt werden und verträgt nicht das geringste bißchen Feuchtigkeit. Wie wär's mit einer selbstgebauten, sozusagen maßgeschneiderten Terrassen-Balkonlampe? Oder mehreren Lichtobjekten, die Ihren Weg von der Straße zum Hauseingang erhellen?

Unsere Licht-Idee eignet sich für alle Zwecke gleichermaßen, denn das System ist variabel. Gemeinsam ist den drei gezeigten Leuchten nur der Kopf aus selbstgebogenen Alu-Ringen. Den Fuß bilden ganz einfache 75er-Abflußrohre und -winkelstücke, wie es sie in jedem Baumarkt gibt. Und damit können Sie ganz nach Belieben spielen. Wir haben sie schwarz lackiert. Damit der Hochglanzlack besser haftet, müssen Sie dem Lack unbedingt Additiv VKF beifügen! Daß die Rohre sauber, trokken und fettfrei sein müssen, versteht sich von selbst. Um sie bis zum „Kragen" leichter in den Boden rammen zu können, schneidet man die Rohre unten zweimal keilförmig ein und erhält so zwei Spitzen. In dieses Basisrohr werden die formgebenden Rohrstücke eingesteckt.

Den genauen Aufbau der Alu-Köpfe entnehmen Sie bitte der Zeichnung und der Bildfolge. Haben Sie Ihre Leuchte(n) fertig, sollten Sie das Feld räumen: Das Legen und Verdrahten der Leitungen und Anschlüsse müssen Sie dem Fachmann überlassen.

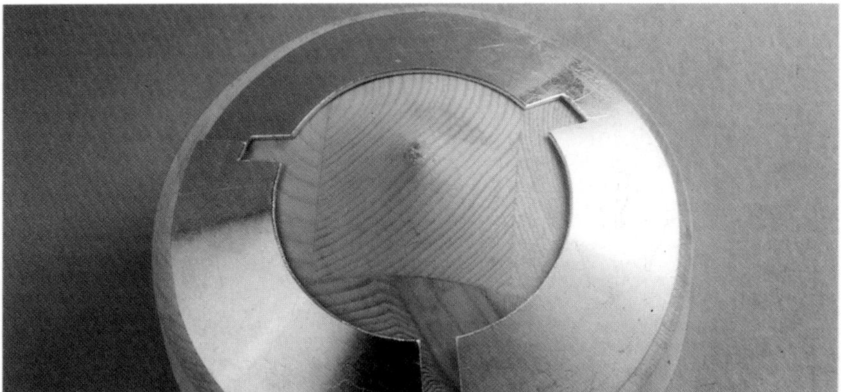

Ein stumpfer Prüfkegel (120°) aus Holz dient dazu, die Aluminiumringe beim Biegen immer wieder zu kontrollieren. Diese Kühlringe sollten in möglichst gleichmäßigen Abständen übereinander befestigt werden. Das Biegen selbst geschieht mit einem runden Gegenstand, der so zur Mitte hin über den Aluminiumring gerollt wird, daß die Drehachse zum Mittelpunkt des Ringes zeigt.

Der Aufbau: In einen der drei Stege alle vier Ringe stecken, dann erst die restlichen Stege einschieben.

So sieht der fertige Aufbau des Lampenkopfes aus. Übrigens: Beim Rollen der Aluminiumringe empfiehlt sich als Unterlage eine Platte aus hartem Schaumstoff.

Hier sieht man ganz deutlich die vier in die Schlitze des Steges eingeschobenen Ringe.

Der Sockel des Leuchtenkopfes: Die Sockelplatte wurde hier nur zur Demonstration auseinandergezogen.

Die lautlose Terrassenuhr

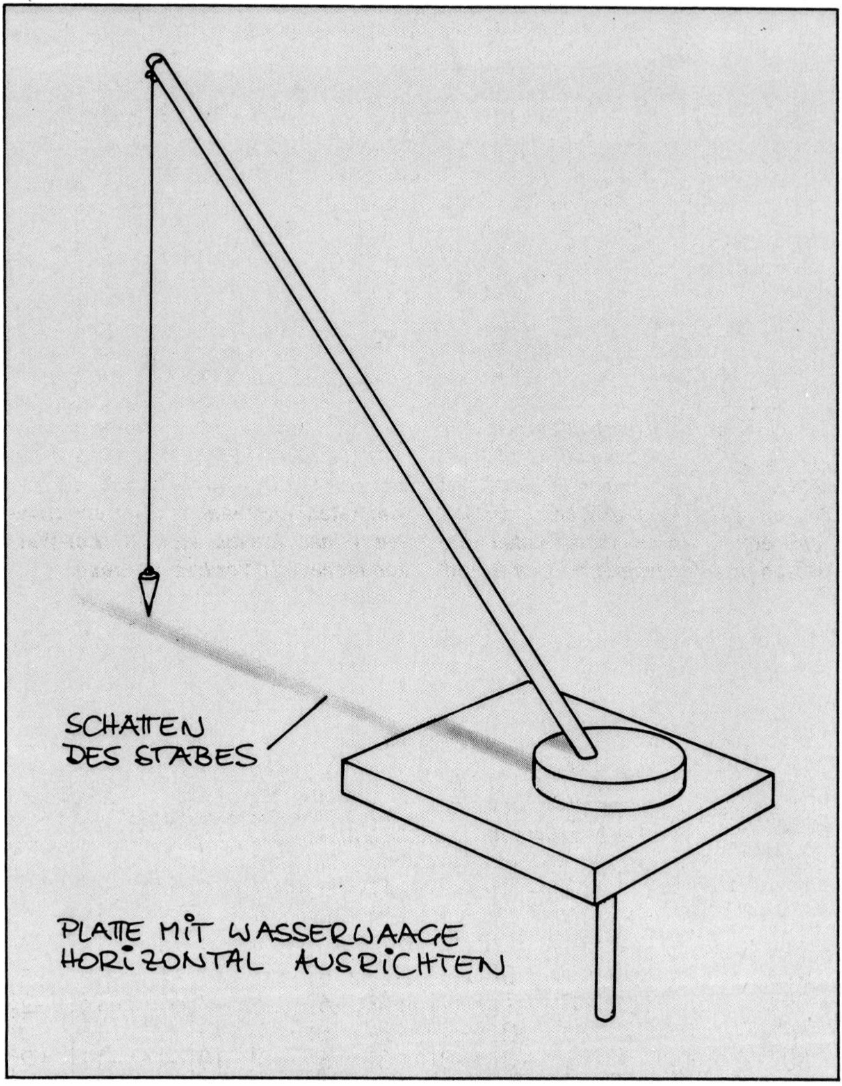

Die Grundplatte wird in einem Holzrahmen (Innenmaße 300 x 400 x 50 mm) gegossen, wobei die hölzerne Bodenplatte genau mittig ein Durchgangsloch für das Rohr mit 23 mm Durchmesser hat. Den Schattenstab mit dem kurzen Ende so weit durch das Loch stecken, bis die Mitte des Knicks mit der Oberkante des Rahmens in einer Flucht liegt. Das lange Stabende so abstützen, daß ein Winkel mit dem Maß der geographischen Breite ganz genau eingehalten wird.

Ist der Stab exakt im Rahmen ausgerichtet, die Form bis zur Oberkante mit Beton füllen, aushärten lassen und um den Stab herum noch einmal eine runde Form mit Beton ausgießen. Den Stab am Standort grob nach Norden, die Grundplatte horizontal ausrichten.

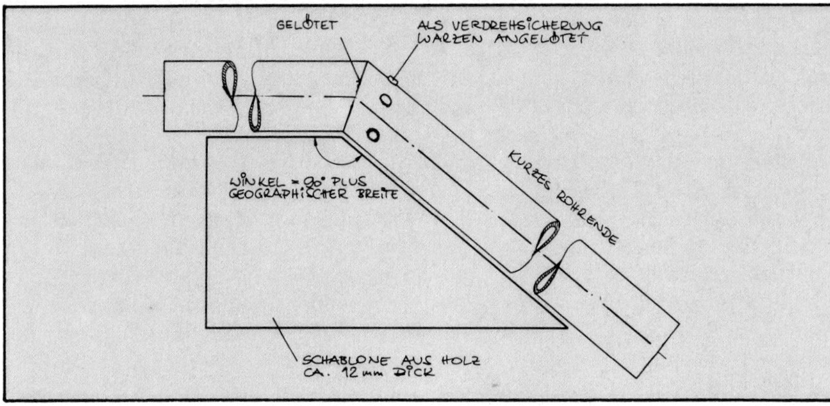

Für den Schattenstab erhält ein Kupferrohr (1 mm Wanddicke, 2,50 m lang und 22 mm Durchmesser) 50 Zentimeter von unten einen Knick. Dieser Knick ergibt sich aus dem Winkel von 90 Grad plus der geographischen Breite des Standorts. Es empfiehlt sich, eine entsprechende Schablone aus Holz anzufertigen. Das Rohr wird an der Knickstelle getrennt und im errechneten Winkel wieder verlötet. Lot-Warzen dienen als Verdrehsicherung.

Von der Jahreszeit abhängiger Zeitausgleich in Minuten												
Monat	Jan	Feb	Mrz	Apr	Mai	Jun	Jul	Aug	Sep	Okt	Nov	Dez
Tag												
1.	+3	14	13	+4	−3	−3	+3	+6	−1	−10	−16	−10
5.	6	14	12	3	−4	−2	4	6	−2	−12	−16	−9
10.	8	15	10	1	−4	−1	5	5	−3	−13	−16	−7
15.	10	15	9	0	−4	0	6	4	−5	−14	−15	−4
20.	12	14	8	−1	−4	+1	6	3	−7	−15	−14	−2
25.	13	13	6	−2	−4	2	6	2	−8	−16	−13	0
30.	14		5	−3	−3	3	6	0	−10	−16	−11	+2

Mit Hilfe dieser Tabelle lassen sich die „normalen" Zeiten der Sonnenuhr errechnen. Sie werden von der elliptischen Bahn, dem wechselnden Tempo und der schräggestellten Achse der Erde bei ihrem Weg um die Sonne bestimmt. Diese „Unregelmäßigkeiten" bewirken, daß die Sonnenuhr in manchen Monaten „vor-" bzw. „nachgeht" im Vergleich zu unseren Chronometern.

Eine Sonnenuhr im Garten oder auf der Terrasse? Eine tolle Idee – aber ist das nicht viel zu kompliziert? mögen da manche Hobbywerker denken. Dieses Argument zieht nicht, Berechnung und Bau sind ganz einfach. Die Idee zu dieser Uhr stammt von Dr. Hugo Philipp, dem Vorsitzenden des „Arbeitskreises Sonnenuhren".

Im Halbkreis ausgelegte, selbst hergestellte Betonplatten bilden das Zifferblatt. Der Schattenstab erhält je nach Wohnort eine andere Neigung, die man ganz bequem im Schulatlas ablesen kann. Ein Beispiel: Düsseldorf befindet sich auf zirka 51 Grad nördlicher Breite. Um diesen Winkel muß der Stab gegen die Horizontale geneigt sein. Außerdem muß die Nord-Süd-Achse bekannt sein. Man findet sie – wieder mit Hilfe des Atlas – über den exakten Südstand der Sonne. Für unser Beispiel heißt das: Düsseldorf liegt auf etwa 7 Grad östlicher Länge. Der Bezugsmeridian für unsere Mitteleuropäische Zeit ist der von Görlitz mit 15 Grad. Also beträgt die Differenz zwischen beiden Längengraden 8 Grad. Die Sonne benötigt für diese Entfernung eine Zeit, die sich leicht errechnen läßt: Man multipliziert den Unterschied zwischen den Längengraden mit 4. In unserem Beispiel (8 x 4) ergibt das 32 Minuten. Also steht in Düsseldorf die Sonne um 12.32 Uhr im Süden.

Dieses Ergebnis ist aber nur ein Mittelwert. Weil wir genaue Angaben für den jeweiligen Tag wissen wollen, muß hier auf den „präzisen" Lauf der Sonne eingegangen werden. Denn anders als Quarzuhren, die tagein, tagaus die Sekunden zu Minuten und die Minuten zu Stunden addieren, hat die Sonnenuhr ihren ganz eigenen Gang. Da sich die Erde nämlich auf einer elliptischen Bahn mit wechselndem Tempo und mit zur Bahn schräggestellter Achse um die Sonne bewegt, läuft die Sonnenuhr manchmal der (Quarz-)Zeit voraus oder hinkt ihr hinterher. Der Betrachter einer Sonnenuhr muß also den Zeitausgleich berücksichtigen (siehe Tabelle).

Nur am 30. August sowie an drei weiteren Tagen im Jahr kann er sich das sparen: Dann gehorcht der Schatten ausnahmsweise der Quarzuhr.

Wenn Sie mit dem Aufstellen Ihrer Sonnenuhr beginnen, müssen Sie auf den exakten Südstand der Sonne über dem Grundstück warten. Um bei dem Beispiel zu bleiben: Am 15. August wird die Sonne in Düsseldorf erst um 13.36 Uhr genau im Süden stehen, denn zu den 32 Minuten Differenz kommt der Zeitausgleich laut Tabelle von 4 Minuten und die einstündige Verschiebung durch die Sommerzeit. Exakt bei Südstand muß das an dem Stab angebundene Lot genau auf den Stabschatten zeigen. Um 13.56 Uhr (wieder 4 min Zeitausgleich) legen Sie dann die 14 als erste Zifferplatte auf ihren sonnigen Platz. Der Abstand zur Zeigerplatte ist beliebig, der Schatten muß jedoch genau zwischen den beiden Zahlen durchlaufen. Am selben Nachmittag und am nächsten Vormittag plaziert man alle weiteren Platten jeweils 4 Minuten vor der vollen Stunde. Selbst nach der Sommerzeit bleibt das Zifferblatt auf dem laufenden: Platten um eine Position versetzen.

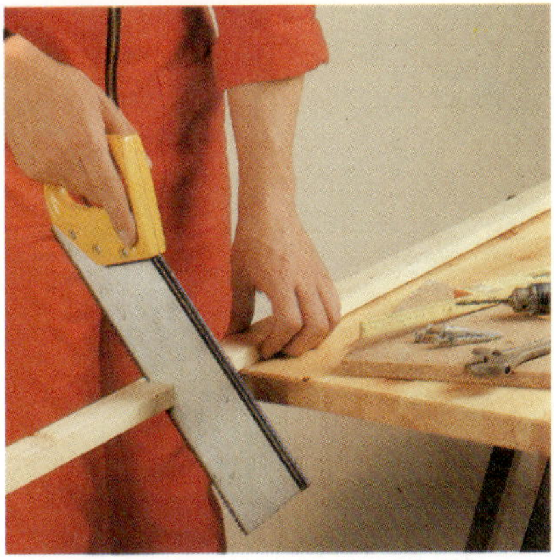

Den Betonplattenrahmen setzt man aus Vierkanthölzern (50 x 30 mm) zusammen.

Die Eckverbindungen mit Nagel und Holzschraube haben den Vorzug, stabil genug zu sein, sich aber dennoch leicht lösen zu lassen.

Die Bodenplatte befestigt man mit Schraubzwingen unter dem Rahmen und fixiert dann die 3 mm starken Plastiknummern auf dem Boden.

Das Brett spart Gewicht, aber denken Sie daran, zwischen den frischen Beton und das Holz ein Blatt Papier zu legen, denn sonst haben Sie später wahrscheinlich Schwierigkeiten, Beton und Brett wieder zu trennen.

Wenn der Beton ganz abgebunden hat, löst man die Platte aus dem Rahmen – die Zahl kann im Beton bleiben.

Jetzt werden die Zahlen noch sauber ausgemalt – am besten mit Betonfarbe –, und dann geht es an die „Montage" des Zifferblatts, also das genaue Verlegen der Platten.

Taschenspiele am Geländer

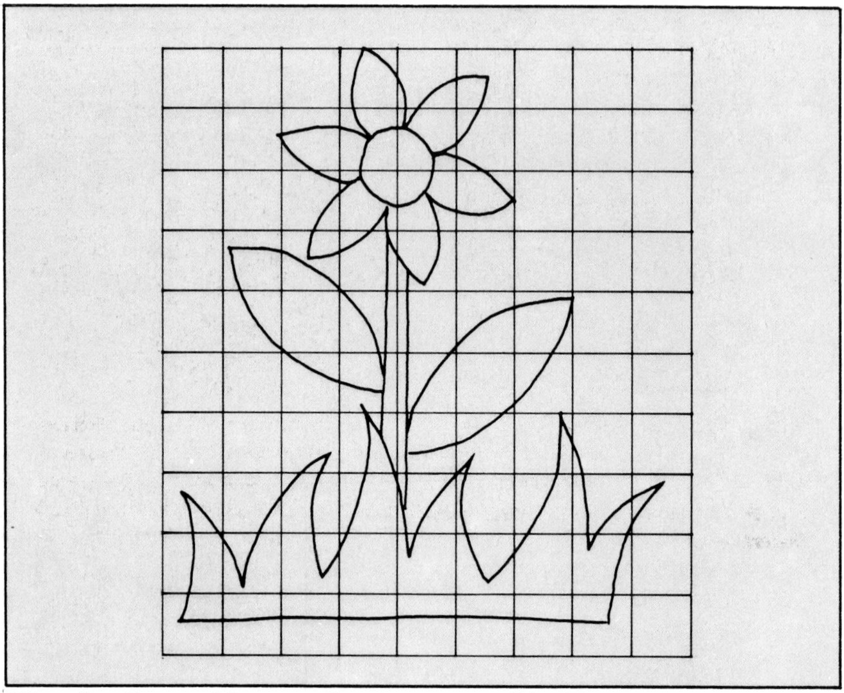

Hier die Rasterzeichnung, die sich leicht auf eine Papierschablone übertragen läßt. Die Kantenlänge der Kästchen entspricht fünf Zentimetern. Achtung: Die Blumenteile haben nur an den Ansatzlinien eine Nahtzugabe. Mit Hilfe der Schablonen werden alle Einzelteile zugeschnitten.

Damit Ihnen auch im Herbst noch etwas auf Ihrem Balkon blüht, können Sie eine vorhandene Gitterbespannung verschönern oder gleich ein neues „Taschen-Tuch" fertigen: Vorgelochten Markisenstoff aus perlonverstärktem Gewebe gibt es als Meterware komplett mit Perlonschnüren in zwei verschiedenen Breiten zu kaufen. Messen Sie zuvor Ihr Gitter in Höhe und Länge genau aus. Für Taschen und Applikationsmotive brauchen Sie je nach Anzahl entsprechend große Reste. Schneiden Sie für jede Tasche ein 40 mal 30 Zentimeter großes Stoffstück zu. Für das Blumenmotiv zeichnen Sie sich für jedes Motivteil (Blütenblatt, Blütenmitte, Blätter, Stengel, Gras) nach der Rasterzeichnung eine Papierschablone. Mit Hilfe der Schablonen werden alle Teile zugeschnitten (an den Ansatzlinien ein Zentimeter Nahtzugabe).

Versäubern Sie alle Taschenteile mit großen Zickzackstichen. Die obere Taschenkante wird fünf Zentimeter breit nach außen umgelegt und festgesteppt. Dann die Kante wenden und vier Zentimeter breit feststeppen. Die übrigen Taschenkanten einen Zentimeter breit umbügeln (Taschengröße 38 x 24 cm).

Die Tasche im 15-cm-Abstand von der unteren Kante auf die Bespannung steppen. Dabei jede Kante knappkantig einen Zentimeter breit durchsteppen. Eventuell die Tasche in der Mitte durch eine doppelte Steppnaht unterteilen. Der Abstand zwischen zwei Taschen beträgt etwa 40 Zentimeter. Für das Blütenmotiv die Einzelteile in folgender Reihenfolge aufheften und mit enggestelltem Zickzackstich aufapplizieren: Alle Blütenblätter zum Kreis legen, darunter das Stengelende schieben, dann die Blütenmitte festnähen, die großen Blätter unter die Stengelkanten schieben, zuletzt das Gras auflegen. Zum Schluß wird die Bespannung an den schmalen Seitenkanten umgesäumt.

Die Gitterbespannung in ganzer Breite. Sie hält nicht nur den Wind ab und bietet Sichtschutz, sondern ihre großen Taschen sorgen für Ordnung und die Blumenbilder für farbige Akzente. Was die Familie für gemütliche Balkonstunden so alles braucht, findet hier seinen Platz.

Außer dem üblichen Handwerkszeug für die Stoffverarbeitung benötigen Sie nur noch eine Nähmaschine, den vorgelochten Bespannungsstoff sowie gestreifte und grüne Markisenstoffreste.

So wird die obere Taschenkante verstürzt.

Dann die Tasche mit umgebügelten Kanten aufsteppen.

Für Pluto ein Faß aufmachen

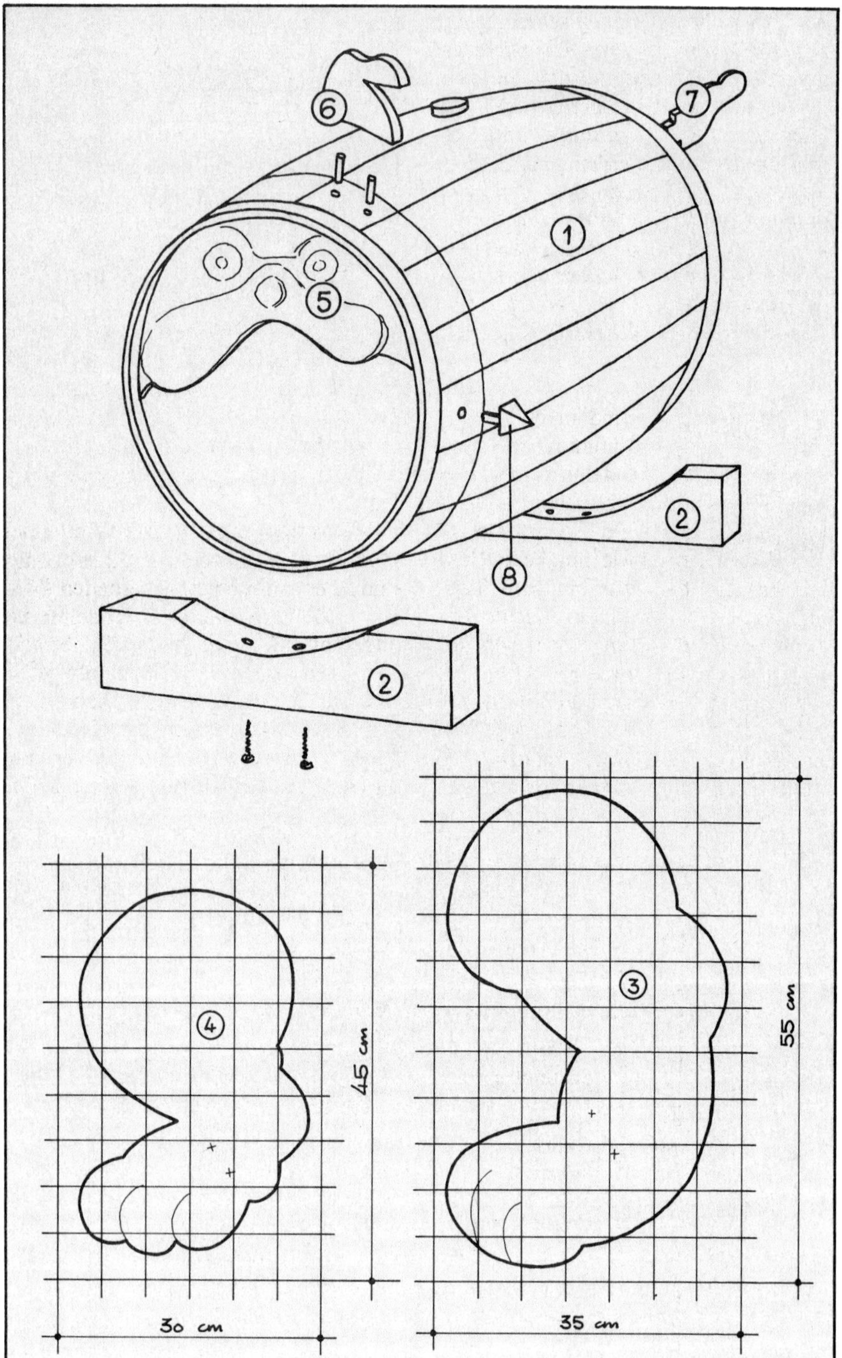
6
7
1
5
8
2
2
4
3
45 cm
55 cm
30 cm
35 cm

Auf diesen beiden Seiten sehen Sie alle Einzelteile zur besseren Übersicht auf einen Blick. Die langen Holzschrauben, die das Faß mit den Stützen verbinden, müssen natürlich abgekniffen und sorgsam geschliffen werden, damit jede Verletzungsgefahr für den Bewohner ausgeschlossen ist. Die Rasterzeichnungen helfen Ihnen, die Form der Füße, Ohren usw. auf das Holz zu übertragen; ein Kästchen entspricht jeweils einem Quadrat mit 5 cm Seitenlänge.

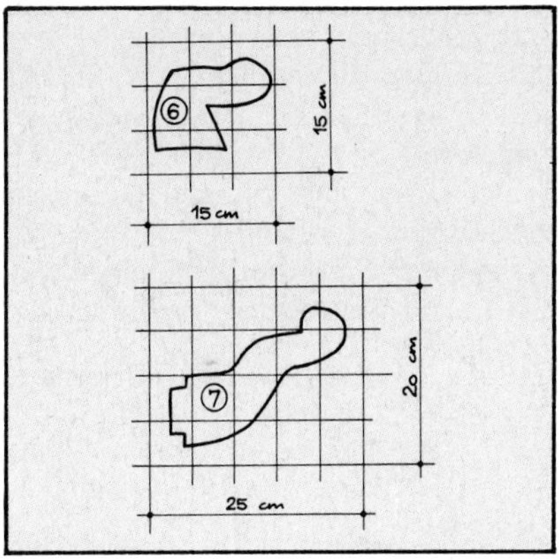

Wird da der Hund in der Tonne verrückt? Bestimmt nicht. In unserer originellen Hundehütte fühlt sich selbst ein Windhund pudelwohl. Sogar der eigenwillige „Pluto", den wir diese ebenso dekorative wie nützliche Hundehütte eigentlich nur ein paar Tage lang testen lassen wollten, mochte sich so ohne weiteres nicht wieder von seinem neuen Drei-Sterne-Häuschen, einem ehemaligen Cognac-Faß, trennen. Das sollte nicht verwundern, denn was für Diogenes gut war, schützt auch Dackel und Dobermänner vor widriger Witterung. Und überdies Herrchens Brieftasche vor Überstrapazierung, weil der Hundehalter selbst Hand anlegt.

Ist für einen mittelgroßen Vierbeiner ein 110-Liter-Faß mit etwa 83 cm Länge und 52 cm Durchmesser gefunden (Keller, Zeitungsinserat, Trödelmarkt, Weinhändler), wird es gespült, getrocknet, auf zwei Keile aus Restholz gelegt und mit der Drahtbürste gesäubert.

Die Einstiegsöffnung nach Zeichnung sägen. Pfoten, Schwanz und Ohren aus Spanplatte oder Tannenholz schneiden

Materialliste

Pos.	Anz.	Bezeichnung	Maße in mm	Material
1	1	110-Liter-Faß	∅ 520 × 830	
2	2	Stützbretter	560 × 130	Tanne 25 mm dick
3	2	Vorderpfoten	550 × 350	
4	2	Hinterpfoten	450 × 300	
5	1	Gesichtsteil	} aus Resten	
6	2	Ohren		
7	1	Schwanz		
8	9	Halsbandnägel	60 lang	Tanne 30 × 30 mm

Holzkugel (halbiert) für die Augen; Holzdübel ∅ 10 mm; SPAX-Schrauben; Holzleim; Nägel.

und von innen verschrauben oder verdübeln. Das Faß sollte leicht geneigt sein. Aus einer halbierten Holzkugel (im Bastelgeschäft) werden zwei markante Augen. Die pyramidenförmigen Stachel des Halsbandes schnitten wir aus einer drei mal drei Zentimeter starken Leiste. Sie wurden, genau wie die Ohren, eingedübelt. Schnauze, Stirn und Backen werden lediglich aufgenagelt. Letzter Arbeitsgang: die Bemalung. Die Eisenstreifen mit Rostschutz behandeln, bevor die gesamte Hütte einen farbenfrohen Allwetteranstrich bekommt. Dann fehlt nur noch ein Kissen zum Auspolstern.

Hinter den Beinen verbergen sich die beiden Stützbretter (2), die dem Faß zum einen einen sicheren Stand und zum anderen auch eine gewisse Bodenfreiheit garantieren.

Schnauze, Stirn und Backen werden aufgenagelt. Das Aussehen Ihres Faßbeiners bestimmen Sie natürlich selbst. Unser Pluto dürfte mit seinem Aussehen sogar Katzen vergraulen.

Blumenkasten auf Beinen

Druckimprägniertes gehobeltes Kiefernholz ist das Material, aus dem unser Pflanzkasten besteht. Die Teile werden mit verzinkten Nägeln zusammengehalten. Die Abmessungen des Kastens richten sich nach den Maßen Ihres Balkons. Außen- und Mittelstützen werden so zugeschnitten, daß der obere Rand über der Balkonbrüstung liegt; wir wählten eine Brettlänge von 103 Zentimetern. Der Kasten besteht neben den drei senkrechten Brettern aus zwei Bodenbrettern und vier Seitenteilen (in diesem Beispiel sind sie 160 Zentimeter lang). Damit die senkrechten Bretter beim Nageln nicht reißen, werden die Nagellöcher vorgebohrt; in der Mittelstütze braucht man drei gerade und drei schräge Bohrungen, damit beide Bodenbretter einander gegenüber befestigt werden können. Beim Aufnageln der Seitenbretter kontrollieren Sie, ob die Winkel stimmen. Vor dem Bepflanzen wird der Kasten von innen mit Folie ausgekleidet; unter die Blumenerde kommt eine Drainageschicht aus Granulat, Kies oder Scherben von alten Blumentöpfen.

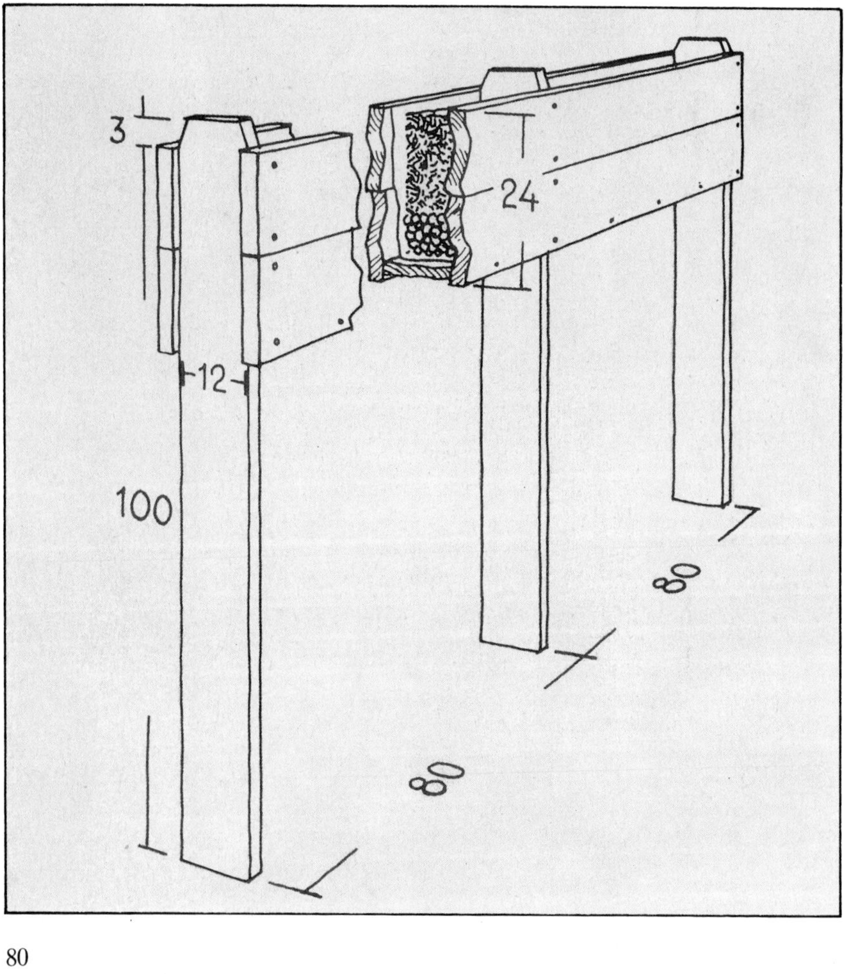

Prächtiger Blütenstand

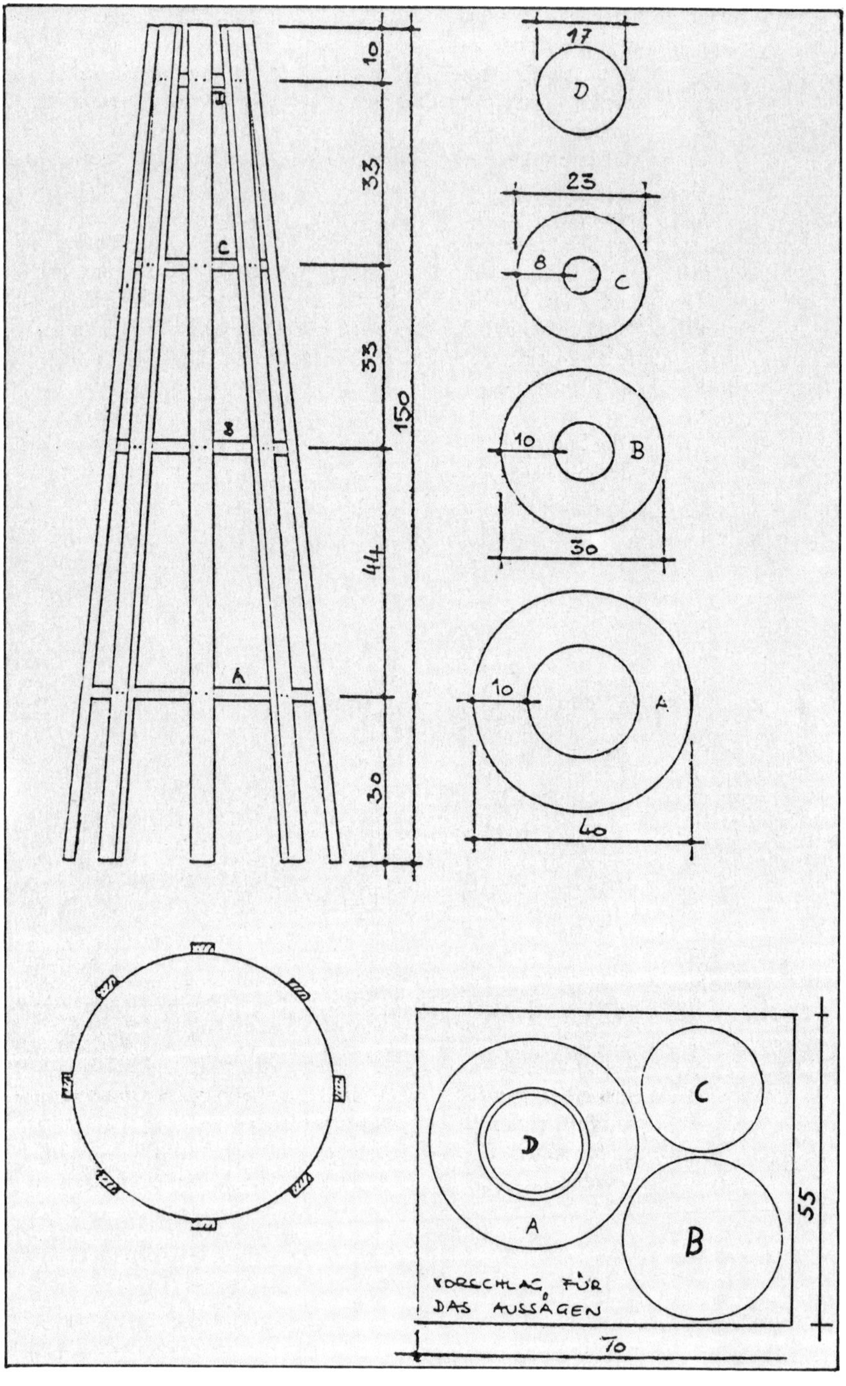

10
33
33
150
44
30
C
8
A
17
D
23
8
C
10
B
30
10
A
40
D
C
A
B
55
VORSCHLAG FÜR
DAS AUSSÄGEN
70

Sicher haben auch Sie das Problem, Ihre vielen Blumenkinder platzsparend am richtigen Ort unterzubringen. Eine hübsche Idee, dieses Problem zu meistern, ist unsere einfach zu bauende Blumen-Pyramide. An Material benötigen Sie: acht Dachlatten, 150 x 4 x 2 Zentimeter, Fichte gehobelt; eine Platte wasserfest verleimtes Sperrholz, 70 x 55 x 1,6 Zentimeter; 32 Kreuzschlitz-Schrauben, 3 x 40 mm; zwei Blumentöpfe Ø 15 cm; zwei Blumentöpfe Ø 20 cm; zwei Blumentöpfe Ø 24 cm; sechs Fleischerhaken (zirka 10 cm); Holzgrund und Acryllack.
Die vier Scheiben auf die Sperrholzplatte aufzeichnen, mit der Stichsäge ausschneiden und glattschleifen. Die auf die Länge von 1,50 Meter zugeschnittenen Vierkantleisten ebenfalls abrunden. Danach können Sie die Holzteile grundieren und in den gewünschten Farbtönen streichen. Nachdem die Lackierung durchgetrocknet ist, werden die Vierkanthölzer mit den Scheiben verschraubt (siehe Zeichnung).
Zu guter Letzt erhalten die Blumentöpfe dicht unterhalb des umlaufenden Randes eine Bohrung. Dazu benötigen Sie einen 8-mm-Steinbohrer. Die S-förmigen Fleischerhaken greifen durch die Bohrung im Blumentopf in die leicht schrägen Bohrungen der runden Scheiben, die jeweils drei Zentimeter vom Scheibenrand zwischen den Vierkantleisten liegen.

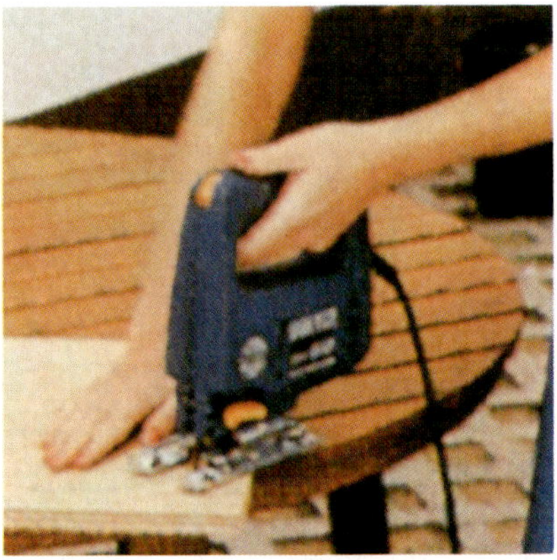

Mit der Stichsäge schneidet man die Ringe aus dem wasserfest verleimten Sperrholz. Je genauer Sie sägen, desto weniger müssen Sie schleifen.

Die auf dem Arbeitstisch stationär angebrachte Bandschleifmaschine macht es einem leicht, mögliche Unebenheiten aus den Ringen zu schleifen, . . .

. . . und hilft auch gleich noch beim Abrunden der Kanten der Dachlatten, also der tragenden Elemente des Blumenständers. Wer nicht über solch einen maschinellen Helfer verfügt, muß sich mit Raspel, Feile und Schleifpapier begnügen.

Endmontage: Mit Kreuzschlitzschrauben (3 x 40 mm) werden die Latten auf den Sperrholz-Ringen befestigt. Damit sind die Tischlerarbeiten auch schon beendigt, und es folgt der Griff zum . . .

. . . Pinsel. Zunächst wird das rohe Holz grundiert, dann folgt ein zweifacher Anstrich Acryllack. Sobald diese Oberflächenbehandlung abgeschlossen und die Farbe getrocknet ist, können die Blumentöpfe ihre Plätze einnehmen.

Spielend eine Runde mauern

Möchten auch Sie manchmal mehr auf dem Kasten haben als die serienmäßige graue Oberfläche? Vorschlag: Probieren Sie's doch einmal mit Verblendern!
Nein, die Rede ist natürlich nicht von Ihren kleinen grauen Zellen. Auch die großen häßlichen Wohnkästen, für deren Fassade die „Riemchen" eigentlich entwickelt wurden, sind nicht gemeint. Hier ist die Rede von jenen grauen Eternit-Behältern, die als Blumenkübel angeboten werden. Ob rund oder eckig, mit Flachverblendern läßt sich jede Form bekleben. Sie sind nämlich nur drei Millimeter dick (Verfugen entfällt also) und passen sich deshalb dem Untergrund willig an. So ist mancher Kasten im Nu aufgewertet und bleibt für viele Jahre ansehnlich.

Zunächst zeichnet man sich Hilfslinien auf den Untergrund, wobei man auf möglichst gleichmäßige Fugenbreite achten sollte, die sich wiederum nach der Höhe des Kastens richtet.

Dann wird mit der Zahnkelle oder dem Zahnspachtel (Zahnung 4 x 4 mm) der Spezialkleber als Kammbett aufgebracht.

Jetzt drückt man die Riemchen in das Kleberbett ein, wobei man die Verblender fachgerecht im Verbund verlegt.

Am Ende der Runde wird man kaum mit genau einem „Stein" hinkommen, aber kein Problem: Die Riemchen lassen sich mit einer stabilen Schere leicht auf die gewünschte Länge kürzen.

Blumen sanft gewiegt

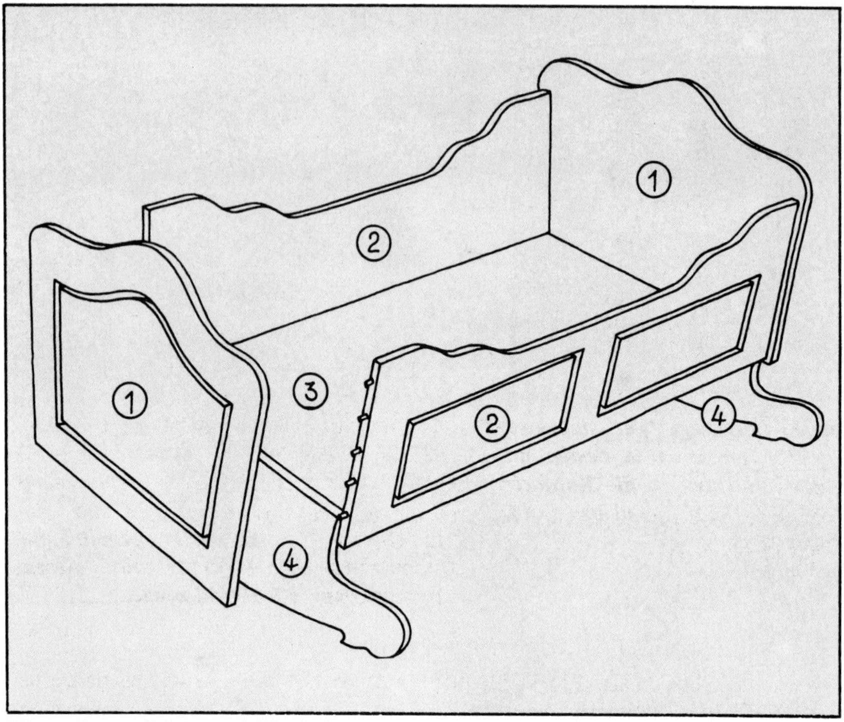

Eine Pappschablone hilft beim Anzeichnen der geschweiften Konturen. Wir haben stabverleimte Platten aus Fichte genommen, der preiswertesten Holzart. Natürlich kann man auch Kiefer oder Buche verwenden – entsprechende Platten gibt es im Fachhandel, aber sie kosten deutlich mehr. Wenn Sie Ihre Tochter oder Ihren Sohn in die Wiege legen möchten, ist das vielleicht nebensächlich, aber für eine ausgefallene Blumenschale kann man schon ins Rechnen verfallen. Und noch etwas: Wenn Sie die Wiege als überdimensionale Blumenschale auf den Balkon oder die Terrasse stellen möchten, sollten Sie daran denken, sie zum einen mit wasserfestem Leim zusammenzufügen und zum anderen mit witterungsfester Farbe zu streichen.

Das kriegen Sie nach Belieben geschaukelt: Nicht nur um das Kleinste der Familie in den Schlummer zu wiegen, sondern auch als Blumenschale, als Hausbar oder als Zeitschriften-Ständer läßt sich dieses Möbel im altfränkischen Stil nutzen. Es besteht aus massivem Leimholz, das naturbelassen, lasiert oder lackiert werden kann. Nach dem Zuschnitt bearbeiten Sie die Platten mit der Oberfräse. Lediglich der rechteckige Wiegenboden erhält seine Form durch die Kreissäge. Die Kanten werden so angeschrägt, daß sie nahtlos an die Seitenteile passen. Alle übrigen Kanten fräsen Sie grifffreundlich rund. Wichtig: Beim Bearbeiten mit der Fräse muß das Werkstück fest und sicher eingespannt werden. Die Kassetten-Fräsung der Stirn- und Seitenflächen schafft man mit einem Profilfräser in Hohlkehlenform mit

Das Zuschneiden der stabverleimten Platten geschieht am besten mit der Stichsäge, nachdem die Konturen von der Pappschablone auf das Holz übertragen wurden.

Und nun tritt die Oberfräse in Aktion. Mit ihr können die Sichtkanten grifffreundlich abgerundet werden. Zierprofile und auch der Namenszug – sofern Sie ihn wünschen – erhalten die entsprechende Form mit diesem schnellaufenden Werkzeug.

einem feinen Stufenfalz. Ein kleinerer Fräser, zylindrisch mit gerundeter Spitze, zeichnet das Monogramm oder ein anderes Ornament in die Mitte. Alle Fräslinien mit einem weichen Bleistift anzeichnen! Kopf- und Seitenteile werden mit Leim und 8-mm-Dübeln verbunden. Damit die Bohrungen senkrecht und deckungsgleich angebracht werden, sollten Sie eine Bohrlehre benutzen; man kann sie auch aus einer Leiste selbst machen: ein vierkantiges, winkelrechtes Holzstück längs durchbohren, so daß es als Führung dienen kann. Die beiden Schaukelkufen werden von innen an die Stirnflächen geschraubt. Der Boden läßt sich so einleimen, daß er sich darauf abstützt.

Materialliste

Pos.	Anz.	Bezeichnung	Maße in mm	Material
1	2	Stirnseiten	500 × 400	Leimholz
2	2	Längsseiten	760 × 300	massiv
3	1	Boden	760 × 340	26 bis
4	2	Kufen	600 × 200	30 mm dick

Holzdübel ∅ 8 × 40; Schnellbauschrauben; Holzleim.

Falls Ihre Bohrmaschine keinen Tiefenanschlag besitzt, hier ein einfacher Tip: Durchbohren Sie einen passenden Holzklotz, lassen Sie ihn auf dem Bohrer sitzen, und nehmen Sie die gewünschten Löcher in Angriff.

Der Leim wird auf die Verbindungsflächen und in die Dübellöcher gegeben. Grundsätzlich gilt: Bohren Sie die Dübellöcher immer etwas tiefer, als der Dübel sie ausfüllen wird, denn irgendwohin muß der überschüssige Leim.

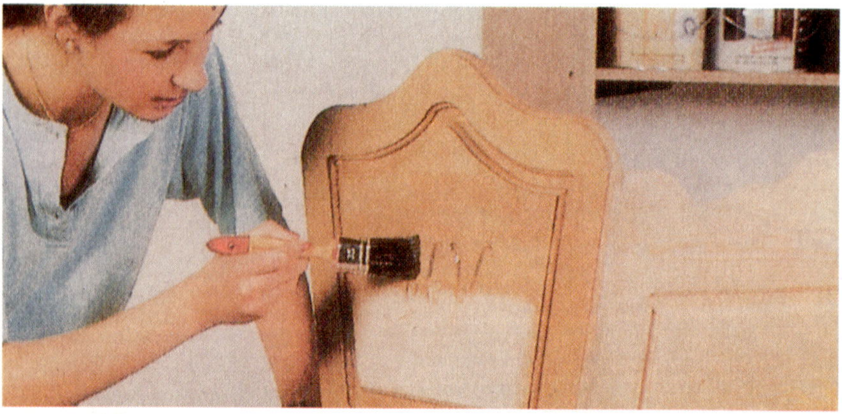

Die Malerarbeiten: Grundieren und dann entweder lasieren, wobei die Holzmaserung erhalten bleibt, oder mit deckenden Lacken arbeiten, die nur mehr erahnen lassen, aus welchem Material Ihre Wiege gebaut wurde. In jedem Fall aber sollten Sie darauf achten, Lasuren, Farben oder Lacke zu verwenden, die möglichst umweltfreundlich sind. Das gilt natürlich auch für den Fall, daß Sie die Wiege mit Bauernmalerei-Dekoren schmücken möchten.

Es blüht in Sand, Torf und Zement

Für einen halbrunden, einen dreieckigen und einen runden Trog brauchen Sie 50 Liter Torf, sieben Putzeimer Estrich-Sand und 50 Kilogramm Zement. Das ganze Material kostet etwa 20 bis 25 Mark.

Nach den Eisheiligen, Mitte Mai, geht auf die Garten-Center wieder der Run los. Dann stehen die Kunden nicht nur mit Geranien und Fuchsien Schlange vor der Kasse. Oft geben sie dabei noch ein Vielfaches für Pflanzgefäße aus, weil ihnen keine Alternative dazu in den Sinn kommt. Das Geld läßt sich leicht sparen, wenn Sie sich ein paar Pflanztröge selbst herstellen. Sie benötigen dazu Rüttelsieb, Speiskübel, Torf, Sand und Zement. Außerdem Holz oder verschieden große Plastikeimer, damit Sie Trog-Formen nach Ihren eigenen Vorstellungen bauen können. Wir brauchen nicht länger als einen Tag für die Herstellung der drei Kübel, die dann vier Tage aushärten.

Unsere Formen entstanden zum einen aus Putzeimern – auch ovale Farbeimer vom letzten Innenanstrich eignen sich! – und zum anderen aus Spanplatten oder Holzresten, mit denen wir den dreieckigen bzw. den halbrunden Futtertrog bauten. Lassen Sie sich davon überzeugen, wie einfach die Schalung für das „gute alte Stück" nachgebaut werden kann.

Die ursprünglich 30 x 30 cm großen Stirnflächen aus 2 cm dickem Abfallholz wurden nach unten hin gerundet und mit Latten (70 cm lang) beplankt. Die innere Form bleibt nicht nur um die 5-cm-Wandstärke des Troges kleiner, sondern berücksichtigt auch noch die 1 cm dicken Hartschaumplatten, mit denen die Verschalung ausgekleidet wird (Teppich-Klebeband), sonst würden sich später die Formen nicht vom Trog lösen lassen. „3 x sieben" heißt die Devise beim Anmischen, denn Sie erleichtern sich das Rühren im Speiskübel, wenn die Mixtur separat für jeden Trog hergestellt wird.

Nach zwei Tagen nehmen Sie unter leichtem Klopfen zuerst die Außenform ab, denn dann lassen sich die noch weichen Flächen behandeln. Nach weiteren zwei Tagen ist ein Trog soweit ausgehärtet, daß auch die innere Form frei wird und für den nächsten „Einsatz" bereitsteht.

Der Torf wird durch ein Sieb mit 4 mm Maschenweite gerüttelt. Sie werden staunen, wie sehr sich das Volumen Ihres 50-Liter-Torfsacks zusammenschütteln läßt.

Stopfen aus Hartschaum halten Platz frei für Abflußlöcher und stützen die innere Form, damit sie nicht absacken kann.

Die Mischung (je zwei Teile Torf und Zement, drei Teile Sand) darf nicht zu flüssig sein. Sie wird mit der Kelle eingefüllt und dann gleich festgestampft.

Die Außenschale kann nach zwei Tagen vorsichtig losgeklopft werden. Patina, also mehr oder weniger natürliche Verwitterung, kann man durch einen hohen Torfanteil erreichen, weil dann die ohnehin rauhe Oberfläche vergleichsweise schnell verwittert. Später wird der kostbare Uralt-Trog neidvolle Blicke auf sich lenken.